JN111238

世界史×日本史
講座:わたしたちの歴史総合 2

さまざまな国家

一七世紀以前の世界史Ⅱ

井上浩一
歴史総合研究会編

かもがわ出版

講座：わたしたちの歴史総合 世界史×日本史 刊行にあたって

「講座：わたしたちの歴史総合」は、「歴史総合」からの問いかけに対するひとつの応答である。

二〇〇六年に起きた世界史未履修問題に端を発して、歴史教育の見直しがはじまった。日本学術会議による高校地理歴史科についての「歴史基礎」「地理基礎」科目設置の提言（最初の提言は二〇一一年）、高大連携歴史教育研究会による入試と教科書の歴史用語精選の提案、中央教育審議会での議論など、さまざまな意見が出てきた。

これらの提言・意見をふまえて、二〇一八年三月に「高等学校学習指導要領」が告示された。歴史教育については、「歴史総合」（必修科目二単位）と「日本史探求」「世界史探求」（選択科目各三単位）が設置された。「歴史総合」は二〇二二年度、「日本史探求」「世界史探求」は二〇二三年度から授業を開始することになった。

新しい三科目、とくに「歴史総合」は、これまでの指導要領と抜本的に異なる性格をもっている。大きく分けてふたつある。

ひとつは、現代的な諸課題の直接的な淵源である一八世紀以後、今日にいたるまでの近現代史を必修とし、これまでのように日本史と世界史とに分けず、日本を完全に含む世界史とすることである。

もうひとつは、知識つめこみ型の「覚える歴史」から思考力育成型の「考える歴史」への転換である。その方法として、史資料をもちいた問いかけと応答による対話のつみかさねのなかから、学習者自身が自ら問い、応答しうるような思考力・判断力・表現力を身につけていくようになることをめざしている点である。

前者については、昨今の動きのもとで多くの教員が取り上げている感染症や戦争の歴史をみても明らかなように、近代をあつかう「歴史総合」だけでは応答できない問いや課題も多い。そこで、人類発生以来の歴史をあつかう「探求」科目が日本史・世界史に分けてもうけられた。ここでは、「歴史総合」の問いかけをふまえて、世界史の中の「日本史探求」、日本史を含む「世界史探求」からの応答が必要である。

後者は、歴史研究者が、史資料を前にして机の上やフィールドでおこなっているような作業である。これにつうじる学習を高校の教室で展開するためにさまざまな努力がつみかさねられている。歴史学の方法を大学の中にとどめず、市民社会の共有物とするための、歴史研究者からの応答と協力が課題になるであろう。

「歴史総合」の提案に対し、新しい提言をふくむ解説書、実践事例、世界史シリーズなど、さまざまなかたちで「世界史」の刊行があいついでいる。「講座：わたしたちの歴史総合」のめざすところは、解説書や参考書の域にとどまらない。高校生や教師を含め、一般読者が現代的な諸課題を歴史的に考えるときの、教養としての世界史である。

わたしたちの講座は、新しい歴史科目に対応して、全六巻で編成する。「歴史総合」に応答するのは、一八世紀・一九世紀の近代を中心とする第三巻・第四巻、二〇世紀の世界を対象とする第五巻である。第一巻・第二巻は、「世界史探求」に対応して、有史以来、一七世紀にいたるまでの世界を対象とする。第六巻は、「日本史探求」に応答して、あえて日本通史を配することにした。

わたしたちの世界はどこにむかっているのだろうか。人類はどのような歴史的経験をへて、いまここにあるさまざまな課題に直面しているのだろうか。人類がたどってきた道筋の全体を考え、理解しうる教養がいまこそ必要ではないか。わたしたちの講座は、歴史教育からの問いかけによせて、それに応答しようとするひとつの試みである。

二〇二二年一二月二三日　歴史総合研究会

執筆者を代表して　渡辺 信一郎

井上 浩一
井野瀬 久美恵
久保 亨
小路田 泰直
桃木 至朗
(50音順)

〈目　次〉さまざまな国家――一七世紀以前の世界史Ⅱ

まえがき――第二巻『さまざまな国家』の対象と方法

講座「わたしたちの歴史総合」に一七世紀以前の世界が含まれる理由は、執筆者代表の渡辺信一郎氏の「刊行にあたって」に記されている。一七世紀以前を対象とする二冊のうち、第一巻が「世界」という概念を軸に論じているのに対して、第二巻は「国家」について考察する。加えて、第一巻がどちらかと言えば東洋に比重がおかれているのに対して、第二巻は西洋を中心に、一七世紀以前の国家について論じる。

さまざまなテーマのなかから、とくに国家を選んだ理由は、言うまでもないが、現代世界において国家がもつ重要性にある。私たちにとって国家は自明の存在である。国家を抜きにして私たちの生活はあり得ない。だからこそ、国家とはどういうものなのか、しっかり学ぶ必要がある。

国家の歴史を学ぶ際に、現代国家の直接的な起源である近代の国家が重要な対象となるのは言うまでもない。高等学校「歴史総合」でもそれが教科の目標のひとつであり、本講座においても、第三巻以降で近代国家の諸相が詳しく論じられている。にもかかわらず、第二巻があえて近代以前を対象とするのは、古代・中世には、私たちが知っている国家とはずいぶん異なる国家があったこと、国家は時代とともに姿を変えたことを知ってもらい、国家についての視野を広げていただくためである。

古代・中世の国家を論じるにあたって、高校生も含む幅広い読者を想定して、国家史・国制史にありがちな抽象論、堅苦しい叙述は避けるよう努めた。目次をご覧になればお分かりいただけるように、本書は人物に焦点を当てている。国家を創った、創っているのは人間である。人間がどのように国家を動かし、逆に国家に弄(もてあそ)ばれたのかをみてゆくことで、国家が身近なものとなり、歴史の知識が私たちの血肉となるのではないかと考えての工夫である。

叙述に際して留意したことがもうひとつある。教室では「歴史総合」しか学ばない人にも、西洋史の知識を持ってもらえるよう、現行の「世界史B」でとり上げられる事件・人物などをできる限り盛り込んでみた。こちらは、本講座のもうひとつの目的である、「歴史総合」から「世界史探究」への橋渡しを意識しての試みでもある。

過去を学ぶのは、私たちが現在を、そして未来をより良く生きるためである。繰り返しになるが、私たちの未来を考えるためにも、国家の歴史を学ぶことの意義は大きい。

序章

ビザンツ帝国という不思議な国

「神の代理人」の栄光と悲惨

現在、地球上に二〇〇ほどの国があり、ひとはいずれかの国に国籍をもっている。私たちは日本国の国民である。国のかたちやしくみについても、漠然とはいえ共通の理解がある。私たちが思い浮かべる国家とは、「日本語を話す日本人が住んでいる国」というものであろう。誰が日本国の国民で、どこが日本の国土か、はっきりしている。国を動かす組織・機構もきちんと定まっており、国家とは明確な輪郭をもった存在である。しかし過去には、現代の日本とはずいぶん異なる国が多く存在した。ビザンツ帝国もそのひとつである。

ビザンツ帝国とは、古代ローマ帝国が東西に分裂したのち、中世を通じて存続したキリスト教国家で、東ローマ帝国とも呼ばれる。この国は「ローマ皇帝」と称した君主が統治した。ビザンツ皇帝は独裁者である。現代ではあらゆる国が民主主義を標榜(ひょうぼう)していると言ってよいが、ビザンツ帝国では民主主義(デモクラシー)、すなわち民衆(デーモス)の支配(クラトス)は、政治的混乱を意味するものとして嫌悪された。神の代理人である皇帝による独裁こそが正しい国家の姿であり、すべての国民は「皇帝の奴隷」としてその支配に服すべし、というのである。

絶対的な支配者として君臨したビザンツ皇帝の末路はしばしば悲惨であった。半数近くの皇帝が反乱や陰謀で帝位を追われている。修道院に入ることができれば幸運なほうで、虐殺されるか、眼を潰(つぶ)されたり、鼻や舌を切られるといった刑罰を加えられた。一日にして栄華の絶頂からどん底の闇へと運命が一転する、実に恐ろしい世界であった。皇帝は神の代理人であったので、その政治に不満があっても批判することは叶わず、力づくで廃位するしか方法がなかったため、このようなことになったのである。日本の天皇が、比較的穏やかにその地位を継承したのと対照的といえよう。

皇帝の末路が悲惨なものとなったのは、絶対的な権力者であったことに加えて、誰でも皇帝になれるという「ビザンティン・ドリーム」のためでもあった。貧しい農民から帝位に上り詰めた者もいる。西暦八〇〇年のクリスマスにフランク王のカールが教皇からローマ皇帝の冠を受けた時、ビザンツ宮廷では、カールがコンスタンティノープルに乗り込んでくるのではないか、と危惧する声が上がった。一二世紀には、皇帝の娘と婚約したハンガリー王子（のちのハンガリー王ベーラ三世）が帝位継承者とされたこともあった。帝位を狙う者がどこから現れるかわからない、ビザンツ皇帝の地位は危ういものであった。

神の代理人である皇帝、その跡継ぎとされた皇太子は、妃を決めるのにも、驚くような方法を採用した。全国から美人を集めて宮殿の大広間で「ミス・ビザンツ・コンテスト」を開催し、優勝者を皇帝の妃とするのである。年齢はもちろん、身長や容姿などに条件はあったが、家柄・財産は問わないので、皇帝と同じく誰でも妃になれるはずであった。実際、没落地主や酒場経営者の娘、氏素性不明の女性が皇妃に選ばれたこともある。審査には靴のサイズも含まれており、まさにシンデレラの世界であったが、シンデレラ皇妃にも不幸な運命が待ち受けていることが多かった。

テオファノ（美人コンテストで選ばれた皇妃）

国家の頂点に位置する皇帝・皇后に象徴されるように、ビザンツ帝国は不安定な国家であった。にもかかわらず一〇〇〇年以上続いた。世界史でも珍しい「長寿国」である。このビザンツ帝国には、皇帝・皇后の決め方以外にも、現代の国家とはずいぶん異なる不思議な特徴がみられた。不思議な国家の奇妙な姿をもう少し具体的にみてみよう。

固有の領土はない

私たちはごく普通に「我が国固有の領土」と口にするが、ビザンツ帝国には固有の領土というものはなかった。領土は時代によって大きく変化した。広がったり、縮んだり、また広がったりと、領土という点でも不安定な国家であった。そのためビザンツ史の概説書には、時代ごとに帝国地図が何枚も付けられている。あえて「固有の領土」といえば、都コンスタンティノープルだけかもしれない。最末期にはコンスタンティノープル以外の領土をほぼすべて失ったにもかかわらず、半世紀以上存続できた。皇帝の所在地である都が別格の存在で、それ以外の土地は、地方も外国もさほど違いがなかったのである。

領土が時代によって変化するのは、国境概念がはっきりしないことを意味するが、より正確に言うなら、いずれの時期をとっても、ここからビザンツ帝国、その向こうは外国という国境線はなかった。隣国とのあいだには、どちらの領土かわからない、漠然とした中間地帯があっただけである。しかもパスポートも入国管理もなかったので、外国人が自由に帝国内に入ることができた。外国人どころか、外国軍も何の抵抗も受けずにビザンツ帝国の領内に侵入してきた。もちろん、国内に入って来た敵を追い払うべく軍隊が出動するのだが、なぜか国境を守る、国境で撃退するという発想はほとんどなかった。ただし、この点でも都コンス

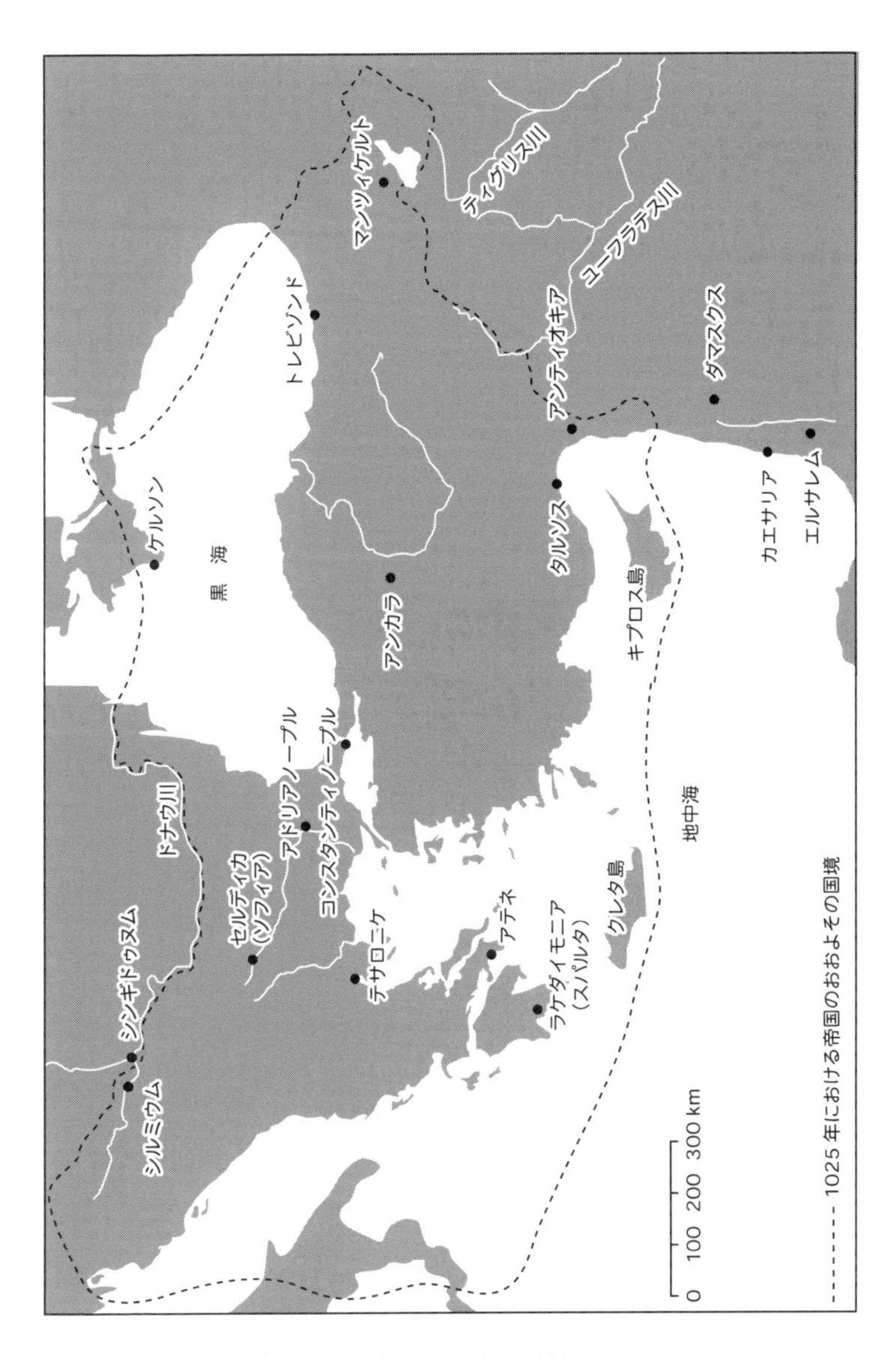

地図１　1025年頃のビザンツ帝国
（参考文献、ヘリン『ビザンツ』より作成）

タンティノープルは別格で、強固な城壁に囲まれており、よそ者をなかに入れないというしくみになっていた。

誰が国民か?

国境と同様に、国民という概念もはっきりしない。外国人でも皇帝になれると考えられていたように、自国民と外国人という区別はさほど厳格ではなかった。古代ギリシアの伝統に従って、外国人を「バルバロイ(野蛮人)」と呼んでいたが、バルバロイでもキリスト教を信じ、皇帝の支配に服すなら「ローマ人」として受け入れられた。開かれた国という特徴は、とりわけ軍隊の構成に現れている。ビザンツ軍には外国人の姿が目立つ。多国籍軍という言葉がぴったりの軍団である。とくに皇帝親衛隊はもっぱら外国人で構成されていた。外国人兵士の方が信頼できる、頼りになると考えられていたからである。

経済面でも自国民を特別扱いすることはない。国民経済という観念はほとんど発達せず、外国製品に高い関税をかけて国内産業を保護するという考えもまったくなかった。どちらかといえば、輸入品よりも輸出品の方に高い関税をかけていたし、輸出入品にかける税を外国商人(ヴェネツィア人・ロシア人など)に限って全額免除することすらあった。自国民より外国人を優遇していたわけである。ビザンツ人が「皇帝の奴隷」であるのに対して、外国人を優遇すれば、皇帝の徳は称えられ、その名声が世界にとどろきわたる。世界を支配するキリスト教ローマ皇帝を標榜するビザンツ皇帝ならではの経済政策といえよう。

皇帝・政府高官の仕事は儀式

国家が果たすべき役割、支配者・統治者の仕事も現代の日本とはずいぶん異なっていた。この国を統治する皇帝と政府高官のもっとも重要な仕事は儀式である。宮殿に側近や外国使節を招いて、教会で聖職者とともに、さらには競馬場や広場で市民を前にして、皇帝はさまざまの儀式を執り行なった。儀式を通じて、みずからがキリスト教世界の支配者「ローマ皇帝」であることを示そうとしたのである。

もちろん、国土の防衛や国民生活の安定が必要であり、そのために軍隊や官僚が存在するのだが、今日の文部科学省、厚生労働省、農林水産省などに相当する官庁はなかった。教育は基本的に民間委託であり、社会保障や産業の振興は教会や町・村が担当していた。ちなみに帝国政府の行なう社会保障とは、皇帝が宮殿に乞食を招いて、汚れた足を洗ってやり、食卓を共にすることであった。これもまた儀式、貧民救済に努める皇帝を謳(うた)い上げる儀式である。実質より形式、外見を重視する国家ならではのことである。

徹底したタテ型社会

すべての大臣・将軍・高級官僚に序列が決まっていた。どちらが偉いのかをはっきりさせるために、何百もの役職名を上位から順にずらっと並べた官職表が作成された。人間に序列をつける、徹底したタテ型社会である。官職表の序列に従って、重要な職務である儀式の席次も決められる。たとえば宮殿の大広間での晩餐会では、外国の来賓に加えて、序列の上位から順に計一二名が、皇帝を囲む第一の食卓に着く。続く一二名が第二の食卓、さらに第三、第四……の食卓となっていた。一二名というのは、もちろんキリストを囲む最後の晩餐に擬(なぞら)えたものである。

官職の序列について問題をひとつ出してみよう。現代日本の財務大臣、最高裁判所長官、自衛隊統合幕僚長、東京都知事に当たる役職のなかで、誰が一番偉かったのだろうか?

各官職の序列は時代によって微妙に変化したが、もっとも詳しい八九九年の官職表では、自衛隊統合幕僚長⇩東京都知事⇩財務大臣⇩最高裁判所長官という順になっていた。私たちは、都知事と最高裁長官のどちらが偉いのかなどといった比較はしないし、あえてこの四人に順位を付けたなら、ビザンツ人とは正反対になるかもしれない。こんなところにも国家のあり方の違いが窺える。

このような長官に仕えている高級官僚、今日風に言えば、部長・課長といった公務員の管理職にも細かく序列が定められていた。同格の者のあいだでは上司の序列によって順位が決まったので、東京都の総務部長の方が最高裁判所の総務部長よりも上位におかれたわけである。

官僚の給料に雲泥の差——格差社会

官職表の上位に並ぶ各部局の長官は高額の年俸を受け取った。しかも昇給は気前よく二倍というのが原則である。年に一度、皇帝は何日もかけて、官職表の序列に従って順にひとりずつ、金貨の詰まった袋を厳かに手渡す。まっさきに受け取る中央軍団司令長官(統合幕僚長)などは、ひとりでは持てないのでお供を従えていた。延々と行なわれる給与の配布は、時間の無駄のように思えるが、これも大切な儀式——皇帝や高級官僚の仕事——だったのである。

昇給は二倍、給料を受け取るのが仕事となれば、ビザンツ官僚の世界は天国のようだが、そうばかりではなかった。莫大な年俸を貰っていた高級官僚とは異なり、下級の役人は原則として無給である。ひとくちに官僚制といっても、地位によって待遇に大きな差があった。厳しい格差社会である。財務大臣のもとで仕事をしている税査定官なども、納税者から徴収する手数料で生活していた。手数料を水増ししたり、賄賂（わいろ）を要求することも珍しくなく、あくどく稼いだ徴税役人の話が多く伝わっている。

あれこれとビザンツ帝国の奇妙な制度を列挙した。ひとことで言うなら、この国、その頂点にいる皇帝には、現代国家の要とも言うべき国民・国境・国益という観念が乏しかったのである。外国人を優遇する、国境管理がない、実質よりも形式を重んじる。そんな国だからこそ、私たちの感覚ではとても合理的とは思えない制度が存在した。隣接するイスラーム国家とのあいだで実施された捕虜交換もそのひとつである。

「拉致（らち）被害者」の帰国

八世紀半ば以降、ビザンツ帝国の東にアッバース朝というイスラーム国家が存在した。バグダッドを都とする超大国である。アッバース朝の各地から若者が、信徒の義務である聖戦（ジハード）のため、また捕虜や金品といった実益を求めて、ビザンツ国境地域の町タルソス（タルスース）――「ジハードの町」と呼ばれる――に集まってきた。この町にはジハードに参加する者のために寄宿舎が設けられ、夏が来ると、志願兵は司令官のもと隊列を組んでビザンツ帝国に侵入する。略奪遠征と呼ばれる恒例の軍事作戦である。先に述べたように、ビザンツ国境は出入り自由だったので、容易に侵入・略奪を行なうことができた。

国内に侵入してきたイスラーム軍に対してビザンツ側は真正面から戦うのではなく、地元の農民兵士を動員してゲリラ戦で抵抗した。イスラーム兵が捕虜や戦利品を持って撤退したあと、皇帝はカリフに捕虜交換を提案した。ゲリラ戦で捕虜にしたイスラーム兵士と引き換えに、拉致されたビザンツ人――女性や子供も多く、奴隷として売られた――を帰国させるよう申し入れたのである。略奪遠征は毎年のように繰り返されたが、捕虜交換は、数年ないし一〇年に一度だったので、それまでのあいだイスラーム兵士は捕虜収容所で暮らしていた。

交渉がまとまると和平協定が結ばれ、タルソスの数十キロ西方を流れる川を両国の仮国境に見立てて、捕虜交換が実施された。両岸に並べられた捕虜が順に川を渉り、それぞれ自国に戻るのである。交換はひとりひとり時間をかけてていねいに行なわれ、大勢の見物人が見守るなか、戻ってきたビザンツ人捕虜は「皇帝万歳！」と唱えることになっていた。交換は数日から時には一〇日以上も続き、一回の交換で、平均二千数百人、多い時には四～五千人が戻ってきた。

国益を無視した国家

客観的にみて、捕虜交換はビザンツ側に有利なものではなかった。ビザンツ人の捕虜と引き換えに釈放されたイスラーム兵士は、そもそもが一旗揚げようとイスラーム世界の各地からやって来た連中である。釈放されて「ひどい目に遭った、もうこりごりだ」とおとなしく故郷に戻ったとは考えにくい。今さらおめおめと手ぶらで帰るわけにもゆかず、「今度こそ」とタルソスの宿舎で次の夏を待ったに違いない。捕えたイスラーム兵士をさっさと殺してしまうか、奴隷として売るのが、手っ取り早い方策であった。略奪遠征を思いとどまらせる脅しにもなったであろう。イスラーム兵士を交換まで何年も捕虜収容所に住まわせておけば、費用も馬鹿にならない。にもかかわらず、またやって来る、新たな被害が出るのを承知のうえで交換を行なったのである。

イスラーム兵士の釈放は国益を無視した措置であり、私たちとは違う価値観で国の政策が決められていた

劇場国家

過去には、ビザンツ帝国よりもさらに儀式に力を注いでいた国があった。一九世紀のバリ島（インドネシア）にあった小国家ヌガラもそのひとつである。古代ギリシアのポリスのような小国家ヌガラは、儀式以外に国家としての機能をほとんど備えていなかった。文化人類学者C・ギアツは、このような国家を劇場国家 theatre state と呼んだ。劇場国家にあっては、秩序だった権力集中が実現せず、組織的な統治は行なわれない。この国家がめざしたのは、儀礼を通じて社会の秩序を目にみえるかたちで示すことであった。

ヌガラの王宮内外で行なわれる儀式は、王が興行主、祭祀（さいし）が舞台監督、農民が役者・観客として参加する演劇である。王は儀礼を通じて、みずからが神々の秩序を体現していることを示した。この国家を構成する人々は、儀式において各々の役割を割り当てられ、王という中心に近づくため演技を競い合う。演劇を行なうために国家は存在し、演劇のなかで国家の存在が確認されるのである。

劇場国家論は、国家を支配のための道具、あるいは対立する利害の調整機構と捉える、N・マキアヴェッリ以降の近代政治学とは正反対の立場に立つ。灌漑（かんがい）の必要が専制政治を生み出したとするK・ウィットフォーゲルの東洋的専制国家論とも相容（あいい）れない。多くの歴史学者・政治学者は、国家の権力的な側面が無視されていると批判している。しかしながら、儀礼やシンボルを、国家のあり方を語る重要な要素と捉える点で鋭い問題提起をしたものといえよう。

（参考文献）C・ギアツ『ヌガラ――一九世紀バリの劇場国家』小泉淳二訳、みすず書房、一九九〇年ようである。では何のために捕虜交換は行なわれたのだろうか？　交換が見物人を集めてゆっくり行なわれたこと、釈放されたビザンツ人捕虜が「皇帝万歳」と叫んだことからもわかるように、捕虜交換は皇帝を称える儀式であった。キリスト教徒を捕囚（ほしゅう）の身から救い出す、慈悲深く偉大な皇帝を内外に謳い上げるために行なわれたのである。皇帝独裁のビザンツ帝国ならではの制度であった。皇帝の威信のために、国民の迷惑を顧みず実施された捕虜交換であったが、釈放されたビザンツ人捕虜は心の底から「皇帝万歳」と叫んだであろう。

もうひとこと補足すると、捕虜としたイスラーム兵士を殺さず、売り飛ばすこともなく、コンスタンティノープルの捕虜収容所に住まわせていたのも、皇帝を称えるためであった。宮廷で行なわれる儀式にイスラーム兵士を参列させることで、夷狄もその威光にひれ伏す、偉大な「ローマ皇帝」を内外に示そうとしたのである。

歴史を振り返ると、ビザンツ帝国の他にも、私たちの常識とはかけ離れた国が多数存在したことがわかる。とくに古代・中世には、現代の国家とはずいぶん異なる国があった。第二巻では西洋世界を中心に、近代以前に存在したさまざまな国について、そのような国に生きた人々の姿も合わせて学ぶことにしよう。

第一章

都市国家と世界帝国——古代国家のかたち

文明が発達すると国家が生まれる。国家のかたちはさまざまであるが、古代世界においてとくに注目すべきは、対照的といってよいふたつの国家類型である。いずれも現代日本のような国民国家とはずいぶん異なっている。ひとつは、メソポタミアなど最古の文明にみられた都市国家で、もうひとつは多様な地域・民族を統合する世界帝国である。このふたつの国家類型は、領土の広さや構成員の数といった外形だけではなく、内部のしくみや構成原理も大きく異なっていた。

ふたつの国家類型の代表として、高度な文明を生み出したギリシアの都市国家アテネと、オリエント世界を統合したアケメネス朝ペルシア帝国を挙げることができるだろう。以下、第一節では都市国家アテネの民主政治、第二節では最初の世界帝国であるアケメネス朝ペルシア帝国の多民族支配について考察し、第三節では、都市国家と世界帝国を比較しつつ、両者を統合するかたちで新しい時代へと向かうヘレニズム国家の姿を確認する。

一、アテネ――古代ギリシアの都市国家

伝アリストテレス『アテナイ人の国制』

古代ギリシアにポリスと呼ばれる小さな都市国家が多数あったこと、アテネをはじめとして、ポリスでは市民による政治が行なわれていたことは古くから知られていた。哲学者のアリストテレスの著作とされる『アテナイ人の国制』は広く読まれたようで、古代の著作家はアリストテレスを引用しつつ、民主政治を称賛したり、非難していた。ところが『アテナイ人の国制』はいつしか散逸してしまい、幻の著作となってし

まった。

はるか時代を降って一八九一年一月十九日付ロンドン・タイムズ紙は、エジプトの砂漠から『アテナイ人の国制』を記したパピルスが発見されたと報じた。早くも三月に写真版が公開され、幻の書はよみがえった。H・シュリーマンのトロイア遺跡発掘、M・ヴェントリスによる線文字Bの解読と並ぶ、ギリシア史研究の画期的な出来事であった。

『アテナイ人の国制』の発見によって、二五〇〇年の昔に行なわれていた民主政治の姿が、細かいしくみに至るまで明らかとなった。同書の前半（一～四一章）は、前五世紀末に至る民主政治の成立・発展の歴史を述べている。続いて四二章の冒頭で「国制の現状は次のようである」と言って、後半はアリストテレスの時代、つまり前四世紀後半の民主政のしくみについて記している。

古代アテネにおいては、民衆（デーモス）が権力（クラトス）を所有するものとされ、主権者は市民であった。民主主義（デモクラシー）である。現代ではほぼすべての国家が民主主義を国是としており、日本国憲法もまたその前文で「主権が国民に存することを宣言」している。アテネは民主主義の故郷であり、『アテナイ人の国制』は民主政治の原型を伝えているが、アテネで行なわれていたのは、いわゆる直接民主制である。ポリスの重要な事項――立法・行政・外交・軍事など――は全市民によって構成される民会で決められた。最高議決機関である民会には、十八歳以上の成年男子市民が出席し、各々意見を表明して投票した。

ペリクレスの演説――言論の府としての民会

市民が集まって国の重要事項を決める民会はどのように運営されていたのだろうか。定例の民会は年四〇

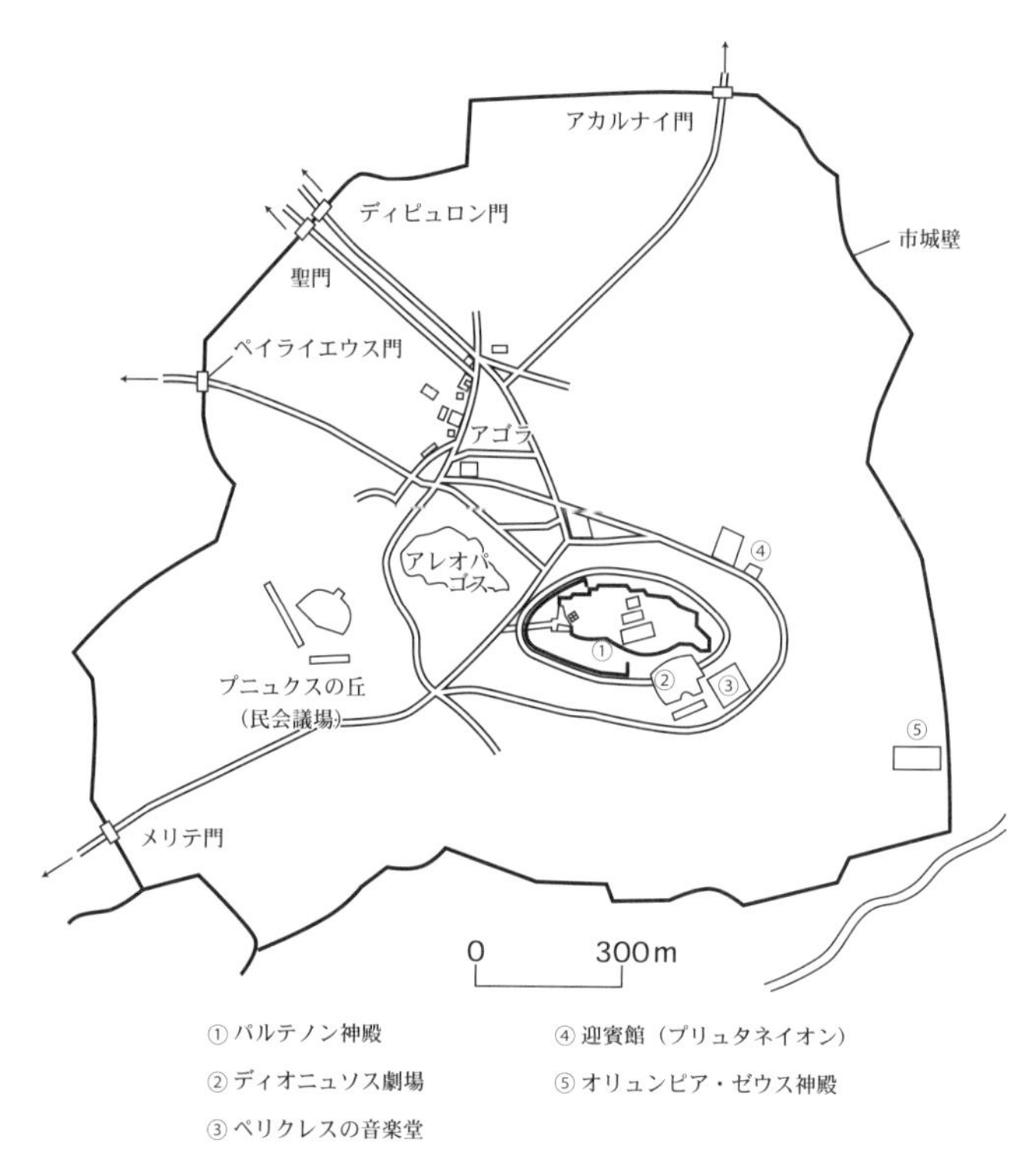

地図2　都市国家アテネ
（参考文献、橋場『古代ギリシアの民主政』より作成）

回開催され、きわめて多数の市民が出席する。アクロポリスの西六〇〇メートル、プニュクスの丘にあった民会議場は、収容人員六〇〇〇人と推定され、のちにはさらに拡張されている。大勢の市民が出席するにもかかわらず、一回の会議は一日ないし半日で終わる。民会において案件を一から議論するわけにはゆかないので、のちほど述べる評議会が原案を作成した。すべての市民は、評議会の提出する議案に対して意見を表明し、修正案を提出する権利をもっている。最終的な議決も、もちろん市民の投票によって行なわれた。

民会において重要だったのは弁

論である。民主政の指導者としてペリクレスが重きをなしたのも、さわやかな弁舌ゆえであった。パルテノン神殿の再建を提案した演説がとくに有名である。ペルシア戦争のあと、ギリシアの諸ポリスはアテネを中心にデロス同盟を結成し、それぞれ資金を拠出して、ペルシア軍の再来に備えていた。ところがアテネは、安全のためという口実で同盟金庫をデロス島から自国に移し、各ポリスが拠出する軍資金を流用するようになった。同盟諸国から非難の声が沸き起こり、アテネの立場はきわめて悪くなった。このような事態に至った責任を民会において問われた時、ペリクレスは次のように反論した。

我々は同盟民のために戦い、ペルシア勢を退けているのであるから、なにも同盟民に資金出納の明細を示す義務はない。彼らは馬一匹、船一隻、重装歩兵一名すら提供するわけではなく、ただ醵金（きょきん）するだけである。だからその金は出した人々のものではなく、代償さえ与えれば受け取った側のものだ。（『プルタルコス英雄伝』「ペリクレス伝」一二章）

想定される対ペルシア戦争に必要なものを備えたのだから、余剰は自分たちの好きなように使ってよいはずだとペリクレスは説く。余った同盟金は、ポリスの栄光を称える壮麗な建築物、市民に日々の仕事を与える公共事業に用いるべきである。ペリクレスの演説に市民は納得し、ペルシア軍によって破壊されたパルテノン神殿の再建が決議された。

工事が始まってからも、民会で反対派から「国家の金を湯水のように使っている」と非難された時、ペリクレスは満場の市民に向かって「支出が多すぎると思うか」と問いかけた。多すぎると答えた者たちに対して、「それでは諸君の支出とはせず、私個人が支払うことにする。もちろん奉献の銘文も私の名前にする」と答えた。ペリクレスの大胆な提案に反対派は沈黙し、多数の市民から「けちけちせず、国庫からどんどん支出してもらって結構」との声が上がった。こうして壮麗なパルテノン神殿が完成した。

民会での雄弁、そしてパルテノンという目に見える成果によって、ペリクレスの権威はゆるぎないものとなった。神殿の建設と並行して、ペリクレスは任期一年の将軍職に連続して選ばれるようになり、前四二九年に死ぬまで一五期連続して務めている。ペリクレス時代と呼ばれるアテネの黄金時代である。

アテネの民会の特徴は、同じように直接民主制をとっていた古代ゲルマン人の民会（後述、第二章三節）と比較すると明らかになる。ローマの歴史家タキトゥスが伝えているように、ゲルマン人も重要なことは民会で決議していた。しかしながら民会を招集しても、なかなか部族民が集まらず、開催するまで何日もかかったという。これに対してアテネでは、定まった日時に多くの市民が集まって、すみやかに審議が行なわれた。

議決の手続きという点でも、アテネの民主政の成熟ぶりが窺える。民会ではすべての市民に発言権があり、ペリクレスの事例でもわかるように、力や脅しではなく、議論や説得によってものごとが決められた。古ゲルマンの民会でも演説が重要であったと伝えられているが、ゲルマン人は武装して民会に出席し、議決は武器を鳴らすことで行なわれた。力ずくでものごとを決める、武力による決着という粗野な習慣をなお残していたのである。これに対してアテネの民会は、現代の国会と同じく「言論の府」であった。

一日だけの国家元首——評議会の性格

アテネが高度な民主政を行なっていたことは、民会に原案を提出する評議会をみてもわかる。定足数六〇〇〇と言われる民会で細かいことまで決めるのは難しく、事前に議案を整理する必要があった。また民会とは別に、日常的な行政を担当する機関が必要なのは言うまでもない。このような課題に対応するため、比較的少数の者によって運営される評議会が設けられた。アテネには古くから、高位の役職アルコン（執政官）の経験者で構成されるアレオパゴス評議会があった。貴族政時代にはこの評議会が国政の全般を取り仕切っていたが、次第に権限を縮小させ、民主政の時代になると、クレイステネスの改革（前五〇八年）で設置された五百人評議会がそれにとって代わった。

五百人評議会は、その名の通り五〇〇名の評議員で構成され、祭日を除いて毎日開催されて、民会に提出される議案を作成し、行政・財政全般を監督した。立法・財政・軍事・外交・司法にわたる広範な権限を有する五百人評議会は、デロス同盟加盟都市による拠出金の管理、市民の資格認定や役人の執務審査なども担当しており、国政の要といってよい組織であった。

五百人評議会は選ばれた少数者による会議であるが、機能の点でよく似た存在であるローマの元老院やゲルマンの首長会議とは異なり、世襲の門閥貴族ではなく、三〇歳以上の一般市民五〇〇人によって構成されていた。アテネを一〇の選挙区（フュレー）に分割し、予選を経た候補者のなかから、地区ごとに五〇名が抽選で選ばれる。一〇の地区はそれぞれ海岸部・平野部・山岳部を含むよう編成されており、人口や地域利害にも配慮しつつ設定されていた。評議員にはそこそこ有力な市民がなることが多かったようであるが、任期は一年で、連続して就任することはできず、しかも一生のうちに二度しかなれなかったので、かなりの市民が評議員という重要な役職を順番に経験したはずである。

五〇〇人でも大所帯であり、細かいことまで協議し、処理するのは難しい。そこで当番評議員の制度が設けられた。一年を一〇期に分け、各地区選出の五〇人が順に当番評議員となる。当番評議員はポリスの執行部であり、日常的な政治業務、外交、さらに評議会や民会の招集・運営も行なった。今日の内閣に相当するもので、民会においては、議事の進行を担当する議長団でもあった。

哲学者のソクラテスも当番評議員を経験している。たまたま彼の在任時に、評議会・民会を揺るがす大問題が生じた。ペロポネソス戦争末期、前四〇六年のアルギヌサイの海戦のあと、嵐のために将軍たちは、波間に漂っていた多数の兵士を見殺しにした。遺族の怒りや悲しみは大きく、将軍たちに対する弾劾裁判が提訴された時、評議会は将軍を一括して裁くという違法の手続きを認めた。評議員のうちただひとりソクラテスが、法に反することを行なうべきではないと反対したという。続く民会でも議長団のひとりとして、いかにも哲学者らしい反対弁論を展開したが、圧倒的多数の声には勝てなかった。有能な将軍の集団処刑は、取り返しのつかない誤りであったことに市民はまもなく気づかされることとなる。

評議会には議長職がおかれ、当番評議員五〇人のなかから一名が評議会議長となる。評議会議長は国璽（こくじ）（公印）を保管し、国庫および公文書庫の鍵を預かる。当番評議員を内閣とすれば、内閣総理大臣に当たる職務である。評議会議長は議長団の代表として民会をとり仕切るから、今日の衆・参議院議長でもあり、民主政アテネの国家元首と言ってよい存在である。

評議会議長も抽選によって選ばれるが、驚くべきはその任期である。『アテナイ人の国制』四四章は次のように記している。

当番評議員にはひとりの議長があり、抽選により選ばれ、一昼夜議長を勤め、これ以上の期間やまたひとりが二度就任することは許されない。

なんと任期はたった一日である。しかも再任は認められないので、評議員五〇〇人のうち七割強が評議会議長となるわけである。国家の最高の地位に市民が日替わりで就任するしくみになっていた。

抽選で選ばれる裁判官――民衆法廷

内閣に当たる当番評議員、国家元首と言ってよい評議会議長の選出方法は、市民のあいだでの平等を確保する手段として、抽選や輪番制が取り入れられたことを示している。無作為のくじ引きこそが究極の平等と考えられていたのである。アテネの政治制度においては抽選がさまざまの場面で行なわれたが、とくに徹底していたのが裁判であった。

裁判権はもともとアレオパゴス貴族評議会にあったが、民主政の発展とともに、ソロンの改革（前五九四年）に起源がある民衆法廷へと権限が移っていった。民衆法廷はその名の通り、市民による裁判所である。アテネには専門の検察官や裁判官がいなかった。裁判役人は審理の司会進行を担当するのみで、審理自体は市民によって行なわれた。起訴する検事も反論する弁護士も市民である。判決も市民裁判官の票決によって決まる。いわゆる陪審（ばいしん）裁判――現代日本ではその要素を取り入れた裁判員裁判が行なわれている――である。

民衆法廷の陪審員は、抽選で選ばれた三〇歳以上の市民六〇〇〇人――任期一年――のなかから、審理する事案の性格や重要性に応じて一定数が選ばれる。ポリスの利害・安寧にかかわる告訴を裁く場合は五〇一名、個人間の争いの審理は二〇一名というのが基準で、訴訟の重要性に応じて、陪審員の数は二倍、三倍となった。陪審員の選出方法については、『アテナイ人の国制』六三章以下に述べられているが、候補者六〇〇〇人のなかから陪審員を選ぶに際して、利害関係者がまとまって入ることがないよう、驚くほど複雑な方式で抽選が行なわれた。

民会と同じく、民衆法廷も半日ないし一日で結審した。裁判の手続きは次のようである。まず原告側が第一弁論を行ない、被告の罪状を告発する。これに対して被告側が弁明する。そのあと双方が短い時間で第二弁論を行なう。弁論時間について『アテナイ人の国制』六七章は水の量で表現している。法廷に置かれた水時計で弁論時間を計っていたのである。重大な民事裁判の場合、原告・被告の第一弁論はそれぞれ一〇クス(一クス=約三・二リットル)、第二弁論は三クスとされていた。裁判所跡から水時計が見つかり、複製を作って実験してみたところ、第一弁論が原告・被告それぞれ三〇〜四〇分、第二弁論は一〇〜一二分程度であった。弁論の終了後、ただちに陪審員が無記名で投票し、多数決で判決が下された。投票用紙のことをプセフォス(小石)というのは、元々、白と黒の小石を使っていたからである。

法律の専門家が裁く現代の裁判とは異なり、アテネでは一般市民による裁判が行なわれていた。素人による裁判であり、判決が情実に流されたり、付和雷同(ふわらいどう)することもあっただろう。民衆法廷の具体的な姿、その問題点を、有名なソクラテス裁判(前三九九年)を例にみてゆこう。「ポリスの認める神々を信じず、新しい神格を導入した、青年を堕落させた」として告訴された哲学者ソクラテスは、民衆法廷で死刑判決を下され、みずから毒杯を仰いだ。

この事件は、愚かな市民が偉大な哲学者に不当な判決を下したものと言われてきた。ペロポネソス戦争(前四三一〜四〇四年)以降、アテネの民主政が、民衆扇動家(デマゴーゴス)によって操られる衆愚(しゅうぐ)政に陥ったことを示すものとされる事件である。しかしソクラテス裁判の経過を詳しく見てゆくと、市民のあいだに根付いていた民主政の姿が浮かび上がってくる。

ソクラテス裁判——素人裁判官の弊害?

ソクラテス裁判はポリスの安寧に関わる訴訟案件で、刑事訴訟、民事訴訟という現代の分類でいうと、前者に相当する。アテネにおいては公法上の訴訟でも、原告は検察官ではなく一般の市民で、ソクラテスを訴えたのは、アニュトスをはじめとする三名のアテネ市民であった。陪審員はもちろん市民のなかから無作為で選ばれた五〇一人である。

ソクラテス裁判は、告訴事由に「ポリスの認める神々を信じず、新しい神格を導入した」とあるように、宗教裁判という性格をもっていた。ただ、「青年を堕落させた」という謎めいた文言が含まれており、裁判の背景についてさまざまの推定がなされている。とくに注目すべきは告訴人のひとりアニュトスの経歴である。アニュトスは民主派の指導者として、「三十人僭主(せんしゅ)」体制に抵抗した人物である。「三十人僭主」とは、ペロポネソス戦争敗戦直後の前四〇四年に、スパルタの支援のもと寡頭(かとう)派が樹立した政権で、恐怖政治を行なって反対派を処刑し、その財産を没収した。まもなく民主派が反撃に転じ、内戦の結果、四〇三年に民主政治が復活した。「三十人僭主」の支配は、敗戦後の混乱をひどくしただけで、一年足らずで崩壊したのである。

アニュトスが僭主支配に抵抗した民主派の指導者であったのに対して、ソクラテスは「三十人僭主」に近い立場にいた。「三十人僭主」の頭目であるクリティアスは、ソクラテスの教えを受けた人物である。また、多くの市民が追放、財産没収となったなかで、ソクラテスは市民権を認められたわずか三〇〇〇人のひとりであった。そのようなわけで、一般の市民からは「三十人僭主」体制の協力者とみられていたようである。しかも「三十人僭主」が打倒されたのちも、民主政を批判するような言辞を弄(ろう)していたらしい。

歴史的な背景をみてくると、ソクラテス裁判は政治裁判であったように思われる。「三十人僭主」をめぐる混乱については、民主政の復活後に大赦令が出され、この間の言動を遡(さかのぼ)って告発することは禁じられた。

そのため、敗戦後の苦難、「三十人僭主」の暴政への市民の恨みや怒りは、耳障りな発言を繰り返す哲学者を標的とする宗教裁判として噴出したのであろう。「青年を堕落させた」という起訴事由も、民主政の擁護という政治的な理由を隠すためだったのかもしれない。

死刑判決に至る審理の経過は次のようであった。まずアニュトスたち原告側が第一弁論を行なった。ソクラテス裁判のような公法上の訴訟では、弁論時間は民事訴訟の場合よりも長かった。続いて被告側が反対弁論を行なった。プラトンの『ソクラテスの弁明』は、この裁判におけるソクラテスの弁論をまとめたものである。それによるとソクラテスは、自分は告発者の誰よりも堅く神々を信じている、私にも陪審員諸君にも最善となるような判決を求める、と弁論を結んだという。

弁論終了後に陪審員が、有罪か無罪かの投票を行ない、二八〇対二二〇で有罪となった。民主政に批判的であったソクラテスは、法廷においても市民による裁判を皮肉っている。被告はしばしば子供を連れて来て同情を引こうとするが、自分は陪審員の情けにすがるつもりはないなどと言ったのである。そのような態度も票決に影響したのかもしれない。

有罪判決のあと、具体的な量刑をめぐって双方が陳述を行なった。原告側は死刑を求刑した。これに対してソクラテスは、ポリスに貢献した私が受けるのは「迎賓館における晩餐」のはずだとうそぶき、罰金刑なら銀一ムナだと主張した。ムナとは重さの単位で、一ムナとはたった四三〇グラムである。さすがにプラトンをはじめとする弟子たちが三〇ムナに訂正させたが、時すでに遅く、陪審員の心証をさらに悪くしたのであろう、三六〇対一四〇という大差で死刑が宣告された。たまたま死刑執行まで一カ月の猶予があり、その間に国外亡命するよう、友人や弟子は勧めてくれたが、ソクラテスは断った。

ソクラテスは、市民の誤った判決の犠牲となった孤高の哲学者とみなされてきた。しかしながら裁判の経過をみると、本人が死刑を望んでいたようである。無罪になる可能性もあったのに、陪審員の気持ちを逆なですするような弁明をし、量刑を決めるにあたっても、国外退去を申し出れば認められたはずのところ、迎賓館での晩餐会などと言って、あえて死刑になろうとしたように思える。陪審員に死刑判決を出させることによって、偉大な哲学者を葬り去った民主政、愚かな市民大衆の姿を歴史に残そうとしたのかもしれない。死刑判決のあとソクラテスは陪審員に向かって、「私は諸君によって死刑とされた。諸君は真実によって邪悪と不正の刑を負わされた」、それでよいのだと言っている。

ソクラテスのもくろみは成功したようである。弟子プラトンの『ソクラテスの弁明』は、偉大な哲学者ソクラテスを描くことで、民衆裁判の欠陥を描き出している。しかし市民たちはどう考えていたのだろうか。民衆裁判も含めて、アテネの民主政について我々はどう考えるべきだろうか。都市国家アテネについてまとめる前に、もうひとつ民主政の重要な制度についてみておこう。

「正義の人」アリステイデス――陶片追放の光と影

ここまで、立法・行政・司法の三権にほぼ対応する、民会・五百人評議会・民衆裁判所についてみてきた。次に、アテネの直接民主政を象徴する陶片追放について考えることにしよう。陶片追放とは、僭主＝独裁者の出現を防ぐため行なわれた市民投票である。今日のリコール制度に似ているが、公職にない者も対象とした点に陶片追放の特徴がある。

陶片追放は次のような手続きで行なわれた。毎年、今年は投票を実施するかどうか、当番評議員が民会に

アリステイデスの名前が刻まれた陶片

原案を提出する。実施すべしと民会で決議されると、一定期間をおいて全市民による投票が行なわれる。有権者すなわち市民が、ポリスにとって危険と思われる人物の名前を陶器の欠片に書いて投票し、最多の票が集まった人物は一〇年間国外追放となる。陶片追放は犯罪を裁くものではないので、追放といっても、死刑や財産没収になることはなく、アテネからの立ち退きが求められるだけである。一〇年後には市民として元通りの生活に戻ることができるし、数年で帰国が許されることもあった。

クレイステネスの改革（前五〇八年）の一環として導入された陶片追放は、前四八七年に初めて実施されたのち、ペロポネソス戦争中の四一五年まで行なわれた。実際に追放になった事例はさほど多くないが、政治指導者たちへの心理的効果は大きかったようである。民主政の指導者であったペリクレスも、父が陶片追放に遭っており、自分も姿かたちや弁舌が前六世紀の僭主ペイシストラトスに似ていると言われていたので、用心していたという。ペイシストラトスやその息子ヒッピアスを最後に、独裁政治を行なう僭主が長らく現れなかったのは、確かにこの制度のおかげであろう。

しかしながら陶片追放には影の部分もあった。政敵を打倒するために組織的な投票が行なわれたり、流言飛語や風評で、有能な政治家・将軍が追放されたのである。その例として挙げられるのが、前四八二年のアリスティデス追放であろう。将軍のひとりとしてマラトンの戦いで活躍したアリスティデスは、民会や民衆裁判においても公平な態度を貫いており、市民から「正義の人」と呼ばれていた。劇場でアイスキュロスの『テーベ攻めの七将』が上演され、「かの人の望みは、正しい人となることなのだ」という科白が語られると、観客は一斉にアリスティデスの方を見たと言われている。

「正義の人」との評判が高くなると、それを妬む者も増えてきたようである。ペルシアとの戦いに備えて軍備を強化すべく、テミストクレスはそのような市民感情を煽って、建艦政策に反対するアリスティデスの追い落としをはかった。アリスティデスが追放となった陶片追放の様子を、『プルタルコス英雄伝』は次のように伝える。

田舎者風の男がアリスティデスをただの行きずりの人と思って、陶片を渡し、「ひとつ、これにアリスティデスと書いてくれ」と頼んだ。これにはアリスティデスも驚いて、「アリスティデスは、あんたに何かひどいことでもやったのかね」と尋ねると、「いや、何もありゃしねえ。そもそもどんな奴か知らないが、どこへ行っても『正義の人』『正義の人』って聞くものだから、腹が立って仕方ないんだ」と言った。アリスティデスは一言も答えず、陶片に自分の名前を書くと、そのまま男に戻したそうだ。（「アリスティデス伝」七章）

相手は読み書きができないのだから、政敵テミストクレスの名を書いてもよかったのに、頼まれた通り自分の名前を書いたアリスティデスは確かに「正義の人」であった。投票所があったアゴラ（広場）からは、アリスティデスという名前を刻んだ陶片も出土している。ひょっとすると本人が書いたものかもしれない。

テミストクレスは、このあとサラミスの海戦でペルシア艦隊を撃破し、祖国の危機を救った。ところが名声が高まるにつれて、独裁者になるのではと疑われ、彼もまた陶片追放となった。民主政時代のアテネでは、たとえテミストクレスのような最大の功労者といえど、陶片追放によって政界を追われる可能性があった。アテネの黄金時代を現出したペリクレスも含めて、有力な政治家や将軍は、つねに市民の意向に気を配らなければならなかったのである。

ペリクレスの晩年に、アテネは宿敵スパルタとの長期にわたるペロポネソス戦争に突入した。戦争中の前四一五年を最後として、陶片追放が実施に移されることはなくなった。陶片追放はなくなったが、民主政――民会・評議会・民衆法廷――はその後も長く続いた。

民主政の条件

ソクラテスは命がけで民主政を批判した。その弟子プラトンは主著『国家』のなかで、「哲学者が国々において王となって統治する」か、「現在王と呼ばれ、権力者と呼ばれている人たちが、真実にかつ充分に哲学する」ことが必要だと述べている。哲人王への期待である。裁判制度についても、法に通じた者が裁くべきであると考えていたようである。確かにソクラテス裁判には民衆法廷の欠陥が現れている。有罪か無罪かで二八〇対二二〇だったものが、有罪となったあと、それでは死刑か罰金刑かの票決が三六〇対一四〇になったのは、無罪とした者のうち少なくとも八〇人が死刑に票を入れたということである。ソクラテスがそう仕向けた気配があるとしても、市民陪審員が一時の気分で票を投じているのが明らかである。

市民による裁判の場合、判断の基準は必ずしも法的なものではなかったから、有利な判決を引き出すため陪審員の感情に訴えることもしばしばみられた。現存する法廷弁論の多くは、自分がポリスに貢献したことや、相手側の人格を疑わせるような話を盛り込んでいる。ソクラテスも指摘したように、同情を引くため子供を法廷に連れてくることもあった。アルギヌサイの海戦を指揮した将軍たちは、市民の怒りを背景に、法に反するような一括裁判にかけられた。

民衆法廷には欠陥があることをアテネ市民もよく知っていたはずである。にもかかわらず、アルギヌサイ裁判やソクラテス裁判のあとも民衆法廷の制度は存続した。アテネの民主政を考えるうえで重要なのは、さまざまの問題を抱えつつも長く続いた制度だったことである。ペリクレスの没後、民主政から衆愚政治になったと言われることもあるが、それは評価の問題であって、制度そのものは、ペリクレスよりも百年のちのアリストテレスの時代まで基本的に変わることはなかった。ソクラテスの批判にもかかわらず、市民は民主政治を選んだのである。市民の選択を促し、アテネの民主政を支えた条件とは何だったのだろうか。

まずは民主政を機能させた具体的な要因から考えてみよう。第一に挙げるべきは弁論の尊重であろう。アテネの民会は「言論の府」であった。ペリクレスのパルテノン演説にみられるように、意見の相違は言論を戦わせることによって解決された。民主主義にとって言論の自由がもっとも重要な要件であることを、アテネの市民もよく承知していたのである。武力による決着の風習をなお残していた古ゲルマンの民会に比べるなら、アテネには成熟した民主主義を認めることができる。言論が重んじられたのは民会だけではない。評議会もそうであったし、とりわけ民衆法廷は弁舌を競う世界であった。

民主主義の重要な前提として、言論の自由と並んで情報公開を挙げることができる。主権者の的確な意思決定にとって不可欠の要因である。現代社会と比べると伝達手段（マス・メディア）が限られてはいたものの、ポリスは狭い世界であり、噂なども含めて、構成員間での情報の交換はかなり密に行なわれていた。情報公開という点でとくに注目すべきは、多数出土している碑文である。法律や民会決議など、ポリスの重要事項が石に刻まれ、広場や通りに掲示された。市民はさまざまの情報に接したうえで、民会や民衆法廷、陶片追放においてそれぞれの判断を下していたのである。情報の伝達が容易な都市国家であったことも、高度な民主政治が可能となった理由と思われる。

アテネにおいては今日の民主政治にはない要因も機能していた。市民のあいだでの平等をはかるために採用された抽選や輪番制という方式である。評議員は各選挙区で推薦された者から五〇〇人が抽選で選ばれた。任期一日の評議会議長や二〇一人〜一五〇一人の陪審員も抽選で決まる。さらにポリスの役職も、将軍など特別の能力・経験が必要なものは民会で選挙されたが、大部分は抽選で選ばれた。無作為の抽選こそが究極の平等と考えられていたのである。その一方で、当番評議員のような輪番制も取り入れられた。小・中学校の日直や週番のような素朴な方式であるが、これまた公平、平等の実現に貢献した。

評判の良い者が勝つ社会

次に、アテネ民主政の歴史的な位置づけを裁判に即してまとめてみよう。集団のなかで意見の相違や争いごとがあった場合、どのようにして合意を形成するのか、誰が争いに勝つのか。紛争解決の方法からみた場合、思い切って単純化するなら、人類の歴史は強い者が勝つ社会――弱肉強食の動物の世界――から、正しい者が勝つ社会――理性に基づく人間の世界――へと長い年月をかけて進んできたといえる。実力主義から法治主義への変化の途中に、評判の良い者が勝つ社会――感情に基づく人間の世界――が存在した。力づくの決着ではなく、法に基づく厳密な判決でもなく、漠然とした世論によって争いごとに解決がもたらされる社会である。

すでにみてきたように、アテネの民衆法廷は、まさに「評判の良い者が勝つ社会」であった。このような紛争解決の方法には弊害も多かったであろう。しかしポリスという狭い世界にはきわめて適合的だったと思われる。だからこそ長きにわたって続けられたのである。アテネの市民は力づくの決着を否定する一方で、有力な指導者、法律の専門家に任せるよりも、素人であっても多数の市民によって裁くほうがよいと考えた。できる限り多くの者が参加するという、民会や評議会にも通じる民主主義の精神である。

民主政、市民裁判を支えたのは、政治参加の負担を引き受けるという市民の自覚であった。いかなる制度も、それを実施する人々の意志や熱意がなければ長続きしない。年間四〇日以上開催される民会に市民はいそいそと参集した。評議員・陪審員の仕事を引き受け、抽選で当たればポリスの役職を務めた。陶片追放には、字の書けない市民さえもが一票を投じた。有能な個人や専門の行政官・裁判官に任せたほうが楽だとわかっていても、市民の義務として引き受けたのである。市民の自覚、意志や行動が民主政を支えていたとすれば、その自覚を支えたものは何だったのだろうか。最後にその点について考えてみよう。

アテネ民主政の光と影

ポリスが分立する古代ギリシア世界は慢性的戦争状態であったと言われる。戦いに勝ち抜くために、各ポリスは構成員である戦士たちの団結を必要としていた。ポリスへの帰属意識をもたせるために、戦士たちに政治的な権限、市民権が認められた。ポリスとは戦士の共同体であり、アテネの民主政とは戦士共同体の民主主義だったのである。日本国憲法の「平和と民主主義」ではなく、「戦争と民主主義」がアテネの民主政

メソポタミアの都市国家

アテネのような、都市と周辺地域がひとつのまとまりをもち、国家としての機能を有している組織を都市国家という。都市国家が最初に形成されたのは古代のメソポタミアである。この地域では今から一万年前に定住生活が始まり、農業・家畜飼育を行なうようになっていたが、紀元前四千年紀の終わり頃になってシュメール人の都市文明が成立した。生産力の向上、社会的分業の進展によって、都市という新たな定住形態、国家という新たな政治組織が誕生したのである。

都市の成立と並行して、金属器や文字が発明され、文明の要素が揃った。都市国家の成立に至る、多方面に及ぶ変革は「都市革命」と呼ばれる。

都市国家の核となった都市は周囲に城壁をめぐらせていた。国家が戦争をする組織であることを語っている。メソポタミア南部にはウルク、ウル、ラガシュなどの城郭都市が点在していた。都市国家が覇権を争う時代は、ウルクの王と称したルガルザゲシ(前二十四世紀後半)がシュメールの諸都市を征服したことによって終わりを告げ、ルガルザゲシを倒したサルゴン一世(在位前二三三四?〜二二七九年?)のアッカド王国が南北メソポタミアを統一した。サルゴンがウルやラガシュの城壁を破壊したのは、都市国家の時代の終結を宣言するものといえよう。

このようにメソポタミア南部では一千年近く都市国家の時代が続いた。都市国家はエジプト、中国などの古代文明でも最初の国家形態としてみられたが、地理的な条件もあって、メソポタミアに比べると、比較的短期間で領域国家、統一国家の時代へと移っており、これらの地域の都市国家の実態はよくわかっていない。

(参考文献)前川和也他『世界の歴史1、人類の起源と古代オリエント』中公文庫、二〇〇九年(一九九八年)

であった。ペルシア戦争を通じて民主政治が発展したり、武器をとらない、戦場に出ない女性には市民権がなかったのはそのためである。

戦争と民主主義という点で興味深い一節が『アテナイ人の国制』一五章にみられる。僭主ペイシストラトスは政権を掌握するや、民衆から武器を取り上げたという逸話である。この話が歴史的事実かどうか疑問視されてはいるが、武装が市民の政治的権利の前提であったことを語るものである。古ゲルマン社会には、民会に武装して出席するなど、戦士共同体の民主主義という性格が鮮明にみられたが、基本的な構造はアテネも同じであった。現代でも、「草の根民主主義」のアメリカ合衆国において銃規制に対する反対が強いのは、市民の政治的権利は個々人の武装によって保証されると考えているからであろう。「刀狩り」を経験した日本人にはみられない発想である。

アテネ市民は戦士として従軍し、政治にも参加した。政治参加を可能とした条件として、民会手当や陪審員手当の支給がしばしば指摘されるが、より根底的な要因があった。市民の大半は農業や手工業で生計を立てていたので、家長が軍事や政治といったポリスの仕事に従事していても、家の経営が成り立つようなしくみが必要であった。それが奴隷制である。アテネではごく普通の市民でも家内奴隷を所有していた。時代によって変動はあるが、男子市民の二倍の奴隷がいたと推定されている。奴隷労働がなければ、一カ月完全に潰さなければならない当番評議員の仕事はいうまでもなく、年間四〇回の民会参加もままならなかったはずである。

アテネの民主政について詳しい記録を残したアリストテレスは、主著『政治学』のなかで次のように言っている。「道具には、命のない道具と命のある道具の二種類がある」。命のある道具とは奴隷のことである。

また、人間のなかには「生まれついての奴隷」が存在するとも述べている。二〇〇〇年近くのちに、インディオの奴隷化に正当性を与えた「先天的奴隷人説」である。ソクラテスやプラトンも、女性に市民権がないことに何ら疑いを持たなかった。優れた哲学者ですら当然のことと考えていた奴隷制度と女性の政治的無権利は、ギリシア民主政の限界であった。

アテネの民主政は人類の輝かしい世界遺産であるが、戦争・奴隷制・女性差別といった影の部分もあった。光と影を合わせて、古代ギリシアの都市国家について学ぶことは、基本的人権、男女平等を前提とする現代の民主主義国家を考えるために重要であろう。

二、アケメネス朝ペルシア帝国――最初の世界帝国

メディア王の夢――ペルシア帝国の成立

続いて、都市国家と並ぶ、古代国家のもうひとつの典型である世界帝国をとり上げる。帝国とは「皇帝の統治する国家」であるが、支配領域が広大で、さまざまの民族を含み、文化的にも多様性を有することがその特徴である。なかでもひとつの歴史的世界全体を統一する大帝国は世界帝国と呼ばれる。古代オリエント世界を統合したアケメネス朝ペルシア帝国は史上最初の世界帝国であった。

言うまでもなく、このような大帝国は一朝一夕に誕生するものではない。成立に至る長い歴史があった（例外については一〇四ページ〔コラム〕参照）。最終的にペルシア帝国によって統合されるオリエント世界でも、最初に誕生したのは、狭い領域を支配するシュメール人の小さな都市国家であった（四四ページ〔コラム〕

参照)。少し遅れてエジプトでも同様の小国家が生まれた。

やがてこれらの都市国家を統合して、各地に領域国家が誕生した。エジプトの古王国、メソポタミアのバビロン第一王朝などである。前七世紀の半ばに、オリエント世界各地の領域国家をアッシリア王国が軍事力でいったん統合した。しかしアッシリアのオリエント支配は短命で、ほどなく四つの領域国家に分かれてしまった。イラン高原のメディア王国、メソポタミアの新バビロニア王国、小アジアのリュディア王国、そしてエジプト王国である。これらの諸国を併合して、オリエント世界に真の意味での世界帝国を樹立したのはペルシア人であった。

ペルシア帝国を興したキュロス二世ついて、ギリシアの歴史家ヘロドトスが次のような逸話を伝えている。オリエント世界が四つの領域国家に分かれていた前六世紀、四王国のひとつメディア王国のアステュアゲス王にマンダネという名の娘がいた。ある時、王はこの娘が放尿して町中に溢れ、さらにオリエント世界全体に氾濫(はんらん)するという夢を見た。不安になった王は娘をメディア人の有力者ではなく、辺境の遊牧騎馬民族ペルシア人の族長カンビュセスに嫁がせた。

そのあと王はまた夢を見た。今度は娘マンダネの陰部から葡萄(ぶどう)の木が生え、その樹がオリエント全域を覆ったという夢である。ちょうどその頃、ペルシアに嫁いだ娘は妊娠しており、生まれてくる子供がやがて自分に取って代わるのではないかと恐れた王は、妊娠中の娘をペルシアから呼び寄せた。そして子供が生まれると、忠実な臣下のハルパゴスにその子を殺すよう命じた。「ハルパゴスよ、マンダネの産んだ子供をお前の家に連れていって殺すのだ。殺したあとは、立派に葬ってくれ」。

王の命令とはいえ、酷い殺人をしたくないハルパゴスは牛飼いの男を呼び出して、この子を山に捨てるよう命じた。赤ん坊を抱いて家に戻って来た牛飼いから話を聞いた妻は、ちょうど流産したところだったので、夫にこう言った。「死んだうちの子のかわりに、その赤ん坊を私たちの子供として育てましょう。うちの子も王様並みに葬ってやれるのだから」。

こうして牛飼いに育てられることになったキュロスは、少年になると卑しい身分の子供とは思えないような風貌（ふうぼう）、振る舞いで評判になった。噂を聞いてキュロスと面会したアステュアゲス王は、その顔立ちが自分に似ているように思い、父親の牛飼いを呼び出した。拷問にかけられそうになった牛飼いはすべてを白状した。ハルパゴスの背信を知った王は、キュロスをペルシアへ帰らせたが、ハルパゴスには酷い罰を与えた。一人息子を殺し、騙してその肉を食べさせたのである。

やがて成人に達したキュロスは父の跡を継いでペルシア部族の指導者となり、母方の祖父であるメディア王に対して反乱を起こす。優秀な騎馬民族であるペルシア人も、数ではメディア軍にはるかに劣り苦戦となったが、メディア軍の主力部隊を率いていたハルパゴスが、恨みを晴らすべくペルシア側についたので、キュロスの勝利となった。こうしてメディア王国は滅びた（前五五〇年）。

理想の君主キュロス二世

続いてキュロスは小アジアのリュディア王国を征服した（前五四七／六年）。さらに前五三九年にはオリエント世界の中心と言ってよいバビロンを占領し、新バビロニア王国を滅ぼした。キュロスのバビロン占領は、内通者を得て実現した無血入城であった。バビロンに限らず、キュロスの征服は、事前に相手と降伏の条件について交渉し、平和的に譲り受けた場合が多い。既存の都市を破壊することなく、その機能を存続させ、ペルシア帝国の統治に利用するという方式であった。世界帝国が実現し、存続しえた条件のひとつである。

バビロンを征服した翌年、キュロスの名声を不滅のものとする政策が実施された。かつて新バビロニア王国のネブカドネザル二世がユダ王国を滅ぼした時に、その住民の一部をバビロンに強制移住させたことがあった。いわゆるバビロン捕囚（ほしゅう）である。キュロスはユダヤ人を故郷に帰還させたのみならず、エルサレム神殿の再建も許したので、ユダヤ人はキュロス二世を称えた。旧約の『歴代誌下』や『エズラ記』は、キュロスは神殿の再建を神から命じられたと述べている。『イザヤ書』四五章一節は、神がキュロスに「わたしの牧者」と呼びかけたと言い、キュロスのことを「主が油を注がれた人」と呼んでいる。メシア（救世主（きゅうせいしゅ））だというのである。

キュロスを称えるのはユダヤ人だけではない。ペルシア軍の侵入を受け、パルテノン神殿を焼かれたこともあるギリシア人も、キュロス二世には高い評価を与えている。ソクラテスの弟子であった歴史家クセノフォンの『キュロスの教育』もそのひとつで、記されている歴史的事実は必ずしも正確ではないが、理想の君主に支配される理想の国家を描いた著作である。

新バビロニア王国を滅ぼしたあと、キュロスはみずからの業績を碑文に刻んだ。この『キュロス二世の円筒碑文』のなかでキュロスは、「ペルシア王」——ここに言うペルシアとはイラン高原の南西部パールサ地方を指す——に加えて、「バビロンの王」「シュメールとアッカドの王」などと、征服地の伝統的な王号を重ねて名乗っている。また、「私は彼ら（バビロンの住民）の地位に反したくびきを廃止し、……彼らの嘆きを終わらせた」ので、バビロニアの主神マルドックは私を王とした、とも言っている。各地の王号や神をペルシアの支配に取り入れたのである。ここには地域国家を統合して世界帝国が生まれつつある状況が窺える。

こうしてメディア王国辺境の領主から、エジプトを除くオリエント世界のほぼ全域を支配するようになったキュロスは、続いて行なった中央アジアへの遠征で敵の奇襲を受け、命を落としたが、王の突然の死にもかかわらず、混乱や反乱は生じなかった。先のアッシリア帝国とは異なり、キュロス一代でしっかりした支配体制が確立されていたからであろう。

オリエント世界の統一――カンビュセス王の狂気

キュロス二世のあとを継いだ息子のカンビュセス二世は、即位の数年後に、父が計画していたエジプト征服を実現した（前五二五年）。前三世紀初めのエジプト人歴史家マネトンの『エジプト誌』は、ペルシア人の支配によってエジプト王国に新たな王朝、第二七王朝が成立したとしている。エジプトを征服したカンビュセスは、「バビロンの王」といった父の称号に加えて「上下エジプトの王」も名乗った。地域の伝統を尊重しつつ広大な帝国をまとめてゆく、というキュロスの政策の継続をみることができる。

その一方で、カンビュセスの行動には、しっかりと統合された世界帝国の樹立をめざす政策もみてとることができる。たとえば彼のファラオ年号は、エジプトを征服した前五二五年から数えるのではなく、自分がペルシア王となった前五三〇年を第一年としている。カンビュセスは狂気のペルシア王などと言われ、評判が悪い。エジプトではファラオの墓を暴いてミイラを取り出したり、神像を焼いたりもした。これらの行為は、帝国への統合を急ぐあまりの勇み足とみなすこともできよう。

カンビュセスはそのあとも長くエジプトに留まり、南方のヌビアへ征服を試みたり、カルタゴへの遠征も企てたという。しかしヌビアへ向かった軍団は全滅し、カルタゴ遠征も結局実現しなかった。このあとダレイオス一世、クセルクセス一世がギリシア遠征(ペルシア戦争)を行なったが、本章第三節で詳しくみるように、これもまた成功しなかった。カルタゴやギリシアの高度な都市国家を征服し、世界帝国に組み入れるのは、アレクサンドロスそしてローマの登場を待たねばならない。

幻の偽国王

やはりヘロドトスが、カンビュセスの後継者に関する奇妙な話を伝えている。カンビュセスにはスメルディスという弟がいたが、その評判が良いのを恐れたカンビュセスは弟を殺させた。殺害は秘かに行なわれ、スメルディスの死は伏せられていた。カンビュセスがエジプト遠征で長く不在の間に、殺された弟と瓜二つの僧が弟になりすまして王を名乗った。謀反を知ったカンビュセスは急遽エジプトを立ち、バビロンに向かったがその途中で死んだ。こうして偽スメルディスが第三代の王となった。

偽スメルディスが王位にあること七カ月、いつも頭巾(ずきん)を被っていて決して頭部を人に見せないので、一族のオタネスという人物は不審に思った。昔、キュロス二世の次男スメルディスとよく似た僧がおり、大罪を犯して耳を切られるという処罰を受けたことがあった。今王位にあるのはその男ではないか、と疑ったのである。娘が王の後宮(こうきゅう)にいたのを利用して、オタネスは娘に王の耳を確かめさせた。スメルディス王と褥(しとね)をともにしたあと、王が熟睡したのを見計らって耳の有無を確かめたところ、果たして耳はなかった。

報告を受けたオタネスは、ダレイオスをはじめ六人の仲間を集め、ただちに行動に踏み切った。首尾よく偽スメルディスを殺したあと、「七人衆」は今後の統治をどうすべきか会議をもった。偽スメルディス打倒にもっとも功績のあったオタネスは、ペルシア人全体が国事に当たるべきだと主張した。ギリシアのような民主政を唱えたのである。少数者による統治を主張する者もいた。カンビュセスのような独裁者は危険だというのはその通りだが、主権を民衆に委ねるのも同様に危険である、という意見である。最後にダレイオスが、三つの政体――民主制、寡頭制、独裁制――を比べてみるなら、独裁制がもっとも優れている、優れたひとりの人物による統治が最善である、と主張した。七人のうち四人がダレイオスの提案に賛成した。

次に、「七人衆」の誰が王となるのか相談した。オタネスが辞退したので、残りの六人のなかから次のような方法で王を選ぶことになった。夜中に六人が揃って城外に騎乗して、日の出とともに最初に嘶いた馬の持ち主が王となるとの合意である。ダレイオスは自分の馬が一番に嘶くよう、気の利く馬丁に工夫をさせる。雌馬を利用した方法がみごとに功を奏し、ダレイオスの馬が真っ先に嘶いた。他の者は馬から飛び降り、新しい王ダレイオスにひれ伏した。

以上はヘロドトスの伝えるところであるが、ダレイオス一世（在位前五二二～四八六年）が即位後まもなく作成した「ベヒストゥーン碑文」にも、王弟の名（バルディヤ）は異なるが、ほぼ同じ話がみえる。しかしギリシアの歴史書とペルシアの碑文が一致するにもかかわらず、偽スメルディスの話はどう考えても事実とは思えない。家族や側近にもわからないほどよく似た人物がいたとは考えにくいし、子供のいないカンビュセスが、唯一の王位継承者である弟を殺すのも不自然である。ヘロドトスはエジプトやバビロンを訪ねたことがあり、ペルシア帝国内で語られていた逸話を書き記したのであろう。この話はダレイオス一世が自分の即位を正当化するために創り上げたものに違いない。

ダレイオス一世即位の逸話から、本人の言い分やヘロドトスの脚色を除くと、ことの真相はきわめて単純な簒奪事件だったということになる。偽スメルディスなる者は存在せず、カンビュセスの弟スメルディス（バルディヤ）——彼が兄に背いたかどうかは別として——を殺して、ダレイオスが王位を奪いとった、こう考えるのが妥当だと思われる。

ダレイオス一世の即位が伝わると帝国の各地で反乱が相次いだ。これもまた、彼の即位に問題があったことを窺わせるものである。一連の反乱を鎮圧したあとダレイオスが戦勝記念として建てたのが、先に紹介したベヒストゥーン碑文である。碑文の最初でダレイオスは父方を遡って、五世代前がアケメネス（ハカーマニシュ）であると述べている。キュロス二世やカンビュセスの祖先である。

血統という点ではこれ以上の主張ができないダレイオスは、みずからの王位を安定させるために政略結婚を行なった。キュロスの娘、カンビュセスの姉アトッサ（ウタウサ）を正妻とし、そのあいだに生まれたクセルクセスを後継者とした。血統・婚姻に加えて、ダレイオス一世の権威を支えたのは、ゾロアスター教の最高神アフラ・マズダである。「アフラ・マズダの恩恵により私は王である」とベヒストゥーン碑文でも宣言している。さらにペルシア人有力者を尊重することにも留意した。ヘロドトスによれば、ともに偽スメルディスを除いた六人の同志は、いつでも王に面会できる権利をもち、また自分たちのあいだでのみ婚姻を結ぶと誓約した。大王を支える特権的支配層の形成である。

「商売人」ダレイオス一世

ここにみた（1）血統・婚姻、（2）神の恩寵（おんちょう）、（3）有力者ないし主権者の支持は、支配の正統性を保障する主要な要因である。三つの要素のうち、いずれが重視されるかによって、国家・君主のあり方が決まると言ってよい。日本の天皇の場合は（1）血統が決定的に重要で、序章でとり上げたビザンツ帝国では（2）

の比重が高く、皇帝は「神の代理人」とされた。このあと第二章でみるローマは、共和政時代から帝政前期まで（3）有力者ないし主権者の支持を基本としている。同じく（3）といっても、民主政のアテネは、国家の構成員全体の合意に支配の正統性があるとしていた。

ダレイオス一世のもとでペルシア帝国の支配体制が整った。最初の世界帝国アケメネス朝ペルシア帝国にみられた、有能な初代、短い二代目のあとを受けて、三代目で支配体制が固まるというのは、多くの国家・王朝に共通する現象のようである。ヘロドトスによれば、ペルシア人はこの三代について、キュロスは「父」、カンビュセスは「殿様」、ダレイオスは「商売人」だと言ったとのことである。小さな集団の密接な人間関係のもとにあった初代、その家族的性格を断ち切り、力による支配秩序を確立させた二代目、それに対する反発、内乱のあと、三代目は合理的で安定した支配を樹立した。こうして長期にわたって存続する世界帝国が確立した。

専制政治と複数の都

第一節でみたポリスの民主政——国家の構成員全員が政治的権利を持つ——とは異なり、ペルシア帝国では王に権限が集中する専制政治が行なわれた。これは当然であろう。広大な版図をもち、さまざまの民族を含む世界帝国においては、民主政治は物理的に不可能であった。ヘロドトスによれば、偽スメルディスを打倒したあと、どのような政体をとるべきか議論があり、オタネスが先のカンビュセス王の暴虐を例に挙げて、独裁政治の弊害を説き、「大衆の主権を確立すべし」と主張したという。しかしこれは、ヘロドトスがみずからの信条をオタネスの口を借りて表明したものと思われ、事実とは認めがたい。たとえそのような思想がペルシア人の一部にあったとしても、実際に支配を行なうためには専制体制をとらざるを得なかった。それではアケメネス朝ペルシア帝国の具体的な統治構造はどのようなものだったのだろうか。

ダレイオス一世の時代に、頂点に大王を戴く帝国統治体制が整った。「偉大な王」「王のなかの王」「諸国の王」というダレイオスの称号にもそれが反映している。初代のキュロス二世が「バビロンの王」「シュメールとアッカドの王」、第二代のカンビュセスが「上下エジプトの王」などと、世界帝国以前の領域国家の王号を継承していたのと比べると、ダレイオス一世のもとで統一的な帝国の形成がはかられたことが窺える。なお国名は単に「帝国（クシャサ）」と称したようである。ひとつの歴史的世界全体を統一した国なので、他国と区別する必要がなかったのであろう。本書でも用いている「ペルシア」帝国は、外部の人間、ギリシア人がつけた呼称である。

ペルシア帝国の特徴を考えるうえで、もうひとつ注目すべきは帝都である。世界史でも世界地理でも、「〇〇国」の都はどこか、と問われることがあるだろう。王宮や中央政府の所在地を挙げれば正解であるが、アケメネス朝ペルシア帝国の場合、この問いに答えるのは難しい。そこにも世界帝国の特徴が現れている。

都は複数存在した。バビロン、スサ、エクバタナに王宮があり、大王は季節ごとに所在地を変えていた。西欧の中世初期にみられた、定まった都をもたない「移動宮廷」に似ているが、ペルシア帝国の場合は、豪華な宮廷が各地にあり、冬はバビロン、春はスサ、夏は涼しい高原のエクバタナに移るというように、規則的に移動する点で異なっており、それぞれが都だったと言うべきである。その他にも、ダレイオス一世が新たに宮殿を建てたペルセポリスも都といってよいだろう。ペルセポリスからは行政文書が見つかっており、帝国各地からの貢納を収蔵する宝物庫もあった。初代のキュロス二世はパサルガダイに宮殿を建てたが、その後は王宮としては使われなかったらしい。ただし、歴代の王はパサルガダイで即位式を行なっており、パサルガダイも都、いわばペルシア人の心の都であった。

王の称号や帝都の存在形態からも、多様な民族・文化、政治的伝統を統合した世界帝国の複雑な性格が浮かび上がってくるようである。

諸民族からの貢納
（ペルセポリス宮殿の浮彫）

行政区、貢納、「王の道」

次にアケメネス朝ペルシア帝国の地方支配をみてみよう。大王の支配する世界全体を「帝国クシャサ」と呼んだのに対して、支配下の諸地域は「行政区」（ギリシア語でサトラペイア）に分けられた。知事（サトラップ）が統治する管区である。ヘロドトス『歴史』によれば、いくつかの民族をまとめて行政区が設置され、各行政区は同時に「納税区」（ギリシア語でノモス）でもあった。ヘロドトスは計二〇の行政区＝納税区を列挙し、それぞれの納税額も記しているが、どこまで信頼できるものか不明である。ベヒストゥーン碑文でダレイオス一世は、自分が支配する国を二三挙げている。ヘロドトスの二〇行政区とかなり一致するが、相違点も少なくなく、アケメネス朝ペルシア帝国の地方行政制度を正確に知ることは難しい。

しかしながら、広い帝国の各地から、さまざまの民族が大王に貢納品を納めていたことは、ペルセポリスの宮殿に残る貢納図からも明らかである。謁見(えっけん)の間には、各地の特産品を捧げ持って大王のもとへ歩む人々が描かれている。まさに世界帝国ペルシアを象徴する図と言ってよいだろう。スサの宮殿建設について記したダレイオス一世の碑文も、建設に各地から動員された人々、調達された資材を列挙している。

知事（サトラップ）は、管区内の徴税を行ない王に貢納する義務、管区の兵を率いて従軍する義務があった。サトラップに任命されたのは原則としてペルシア人であったが、管区の伝統や文化を尊重しつつ統治した。サトラップのもとで勤務する役人はほとんどが現地の人間であった。大王による専制支配がきちんと機能したのは、各地域の住民、とくに有力者の協力があったからである。

行政区・徴税区にある程度まで自治を許す一方、「王の目」「王の耳」と呼ばれた大王直属の監督官を各地に派遣して、サトラップ以下の官僚・行政官に対する監督・統制を行なっていた。詳細は不明であるが、「王の目」は監察官、「王の耳」とは秘かに査察を行なうスパイだったようで、いずれも中央集権体制を支える官職であった。

行政を円滑に行なうべく、主要都市を結ぶ幹線道路「王の道」が整備された。よく知られているのは、スサからバビロンを通って小アジア西部のサルディスに至る道である。全行程二四〇〇キロの要所には関所がおかれ、一一一箇所に宿駅が設置された。公務で「王の道」を行く者には旅券が発行され、宿駅で食糧・馬糧が無償で提供された。通常三カ月かかるサルディス＝スサ間を、緊急連絡の早馬は七日間で駆け抜けたという。道路だけではなく、ナイル川と紅海を結ぶ運河がダレイオス一世の時代に完成した。閉鎖的な独自の世界であったエジプトを世界帝国にしっかりと組み込もうとしたものである。

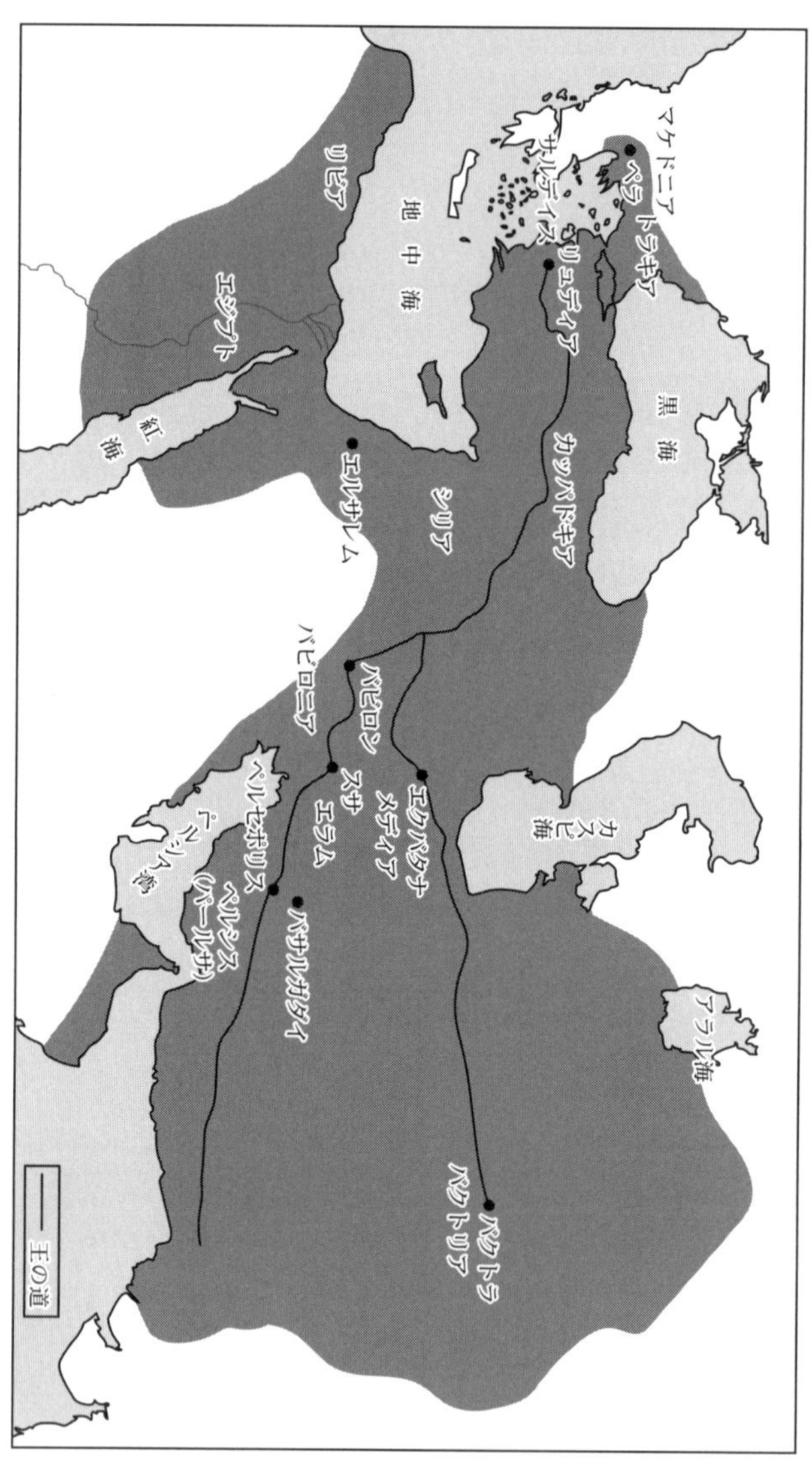

地図３　アケメネス朝ペルシア帝国
（参考文献、阿部『アケメネス朝ペルシア帝国』より作成）

帝国の政治的な統合を支えるために経済・財政面でもさまざまの措置が講じられた。通貨や度量衡の統一がはかられ、ダレイオス一世はダリックと呼ばれる金貨を発行している。金貨の発行は王のみに認められた権限だったようである。

寛容な民族政策、多様な言語

世界帝国アケメネス朝は多民族国家である。しかも、支配者であるペルシア人よりはるかに長い歴史、成熟した文化をもつ民族を多数含んでいる。圧政によって諸民族の反抗を招き、あっけなく崩壊したアッシリア帝国の轍(てつ)を踏まないために、ペルシア帝国は各地域・民族の伝統や文化を尊重するよう努めた。キュロス二世がユダヤ人を「バビロン捕囚」から解放し、エルサレム神殿の再建を許したのもその一例である。

サラミスの海戦でペルシア艦隊を破ったテミストクレスの後日談も、ペルシア帝国の寛容な民族政策を語るものとして興味深い。救国の英雄であったテミストクレスが、独裁者になるのではと疑われ、陶片追放に遭ったことは第一節で述べた。アテネを去ったテミストクレスは各地を転々としたあと、最後にペルシアに亡命する。大王の前に現われたテミストクレスは、私のためにペルシア軍が甚大な損害を被ったことは承知しているが、これからは陛下のために尽くすつもりであると言明した。王は喜んで迎え入れ、領地を与えて、帝国の統治に参与させた。このあと、歴代のペルシア王はギリシア人の人材を必要とする時には、仕官する者にはテミストクレス以上の地位を与えると触れてまわったという。異民族であっても有能な人物を取り立てる、人種・民族を問わず、さまざまの人材を登用する世界帝国の特徴がここにも現れている。

世界帝国という特徴は軍隊にもみられる。アテネの軍団が市民から構成されていたのに対して、ペルシア軍はさまざまの民族によって構成されていた。大王直属の部隊である一万人のペルシア兵からなる「不死部隊」、同じく一万人のメディア人部隊に加えて、遠征にはサトラップが率いる各地の部隊も動員された。外国人傭兵も多数いた。

傭兵のなかで目立つのは、情報量の多さもあって、やはりギリシア人である。アルタクセルクセス二世（在位前四〇四〜三五九年）の弟である小キュロスは、前四〇一年兄に反旗を翻し、四万を超える軍を率いてバビロンへ進撃した。反乱軍には一万人のギリシア人傭兵が含まれていたという。小キュロスの戦死後、ギリシア人傭兵は苦難の末ようやく故郷に戻った。傭兵たちの司令官だったのは歴史家のクセノフォンで、辛く苦しい撤退の旅を『アナバシス』として書き残している。なお、ペルシア軍に加わることで得られた情報をもとにまとめたのが、先に紹介した『キュロスの教育』である。

さまざまな民族からなるペルシア帝国においては、情報を交換し、国家を運営するために言語政策が重要となる。宮廷の所在地が、かつての領域国家の首都を受け継いだものも含めて複数あったように、帝国の公用語も複数あった。ダレイオス一世のベヒストゥーン碑文は、アッカド語、エラム語、古代ペルシア語の三か国語で書かれている。アッカド語とエラム語は、ペルシア帝国以前のメソポタミアの諸国家において用いられていた言語である。また各行政区にはその地域の共通語があった。小アジア西部のヤウナ（イオニア）州ではギリシア語、エジプト州では古代エジプト語が用いられていた。

先にみたテミストクレスの亡命にも、ペルシア帝国の言語状況を窺うことができる。アテネを追われたテミストクレスは、ペルシア王に書簡を送って面会を申し入れた。大王の前にテミストクレスが現れると、大王は通訳を通じて語りかけた。ギリシア情勢について話せと命じられたテミストクレスは、「言葉が不自由なのでそれは叶わない」と言って一年の猶予を貰った。一年間でペルシア語を習得して、今度は通訳を介さずに大王との会見に臨んだと言われている。ペルシアの宮廷にはさまざまの民族が出入りしていたので、通訳が重要な役割を果たしたことがわかる。大王直属の重要な役職に就くには共通語を修める必要があり、教育のシステムも出来上がっていた。もちろん各州では現地の言語が使われており、テミストクレスが地方官として赴(おもむ)いたのは、ギリシア語も公用語とされた地域であった。

世界帝国という国家類型

第一節で学んだ都市国家アテネ、および現代の日本国家と比べつつ、帝国、とりわけ世界帝国の特徴についてまとめておこう。

アケメネス朝ペルシア帝国は、同時代のギリシアと対比され、自由も民主主義もない、野蛮なオリエント的専制国家と言われることが多い。ペルシア戦争は、ギリシアの自由対オリエントの専制の戦いとみなされてきた。しかしながら、ペルシアの大王は確かに専制君主ではあったが、本節で具体的にみてきたように、その支配体制はきわめて合理的、現実的で柔軟な構造をもっていた。ペルシア帝国の体制を完成させたダレイオス一世が「商売人」と評されたのも、さもありなんと思われる。軍事力に頼る一方的な専制政治では、アッシリア帝国のように短命に終わっていたに違いない。

多様な民族・文化・宗教・言語を包み込む世界帝国にあっては、寛容さ、柔軟さが不可欠であった。ペルシア帝国の長期にわたる繁栄は、支配下の諸民族に対する寛容な態度によって可能となったのである。広大な領土、言語も宗教も文化も異なるさまざまの民族を統合するために、理念としては大王を神格化し、絶対

インカ帝国――
文字を持たない世界帝国

アケメネス朝ペルシア帝国より少し遅れて、世界帝国と呼ぶことのできる超大国がユーラシア大陸の各地に生まれた。東アジア世界の秦・漢帝国、インド世界のマウリヤ朝、地中海世界のローマ帝国である。これらの国々はいずれも高度な文明をもち、文明の象徴とも言える文字を発明して、のちの世界・時代に伝えた。漢字、ブラーフミー文字（梵字）、ローマ字である。

時代ははるかに降って、一五～一六世紀に新大陸にも世界帝国と呼べるような国家が成立した。インカ帝国である。都クスコ（ペルー東南部）を中心に、北はエクアドルから南はチリまで、南北四〇〇〇キロに及ぶ広い領土、多数の部族を統一したインカ帝国は、ミタ制と呼ばれる労役徴収のしくみや、インカ道・宿駅・飛脚制度を整えるなど、アケメネス朝ペルシア帝国によく似た国家であった。高度な文明であったことは、征服者スペイン人がインカの道路や倉庫に驚きを隠せなかったことからもわかる。

インカ帝国の最大の特徴は文字をもたなかったことであろう。文明の重要な要素である文字をもたなかったため、インカ帝国史の基本史料は、スペイン人が作成したクロニカと呼ばれる年代記である。文字に代わって、広大な領域を統治するため、とくに貢納物の管理のために用いられたのが、キープと呼ばれる結縄（紐文字）である。縄の色や、結び目の位置と数で数値を表わし、人口や穀物の量を記録した。キープを操り、王国の財産管理に携わる官吏の存在も確認されている。

最近ではキープが、数値以外の情報も伝える媒体、すなわち通常の文字としての機能も有していた可能性が指摘されているが、解読には至っていない。

（参考文献）染田秀藤『インカ帝国の虚像と実像』講談社、一九九八年的な君主として祭り上げたが、実際の帝国統治は、支配下の諸民族の文化や伝統に配慮し、柔軟に運営されていた。帝国の支配下におかれて政治的な独立は失っても、多くの人々は大王のもとで安寧に暮らしてゆけた。キュロス二世を「救世主」と呼んだユダヤ人のように。

ペルシア王の支配は平和をもたらし、平和が帝国の安定・継続を可能とした。古代のギリシアがポリス間の慢性的戦争状態と言われたのに比べて、ペルシア帝国は相対的に平和な世界であった。第一節の最後で、現代日本の国家理念である「平和と民主主義」と比べつつ、都市国家アテネを「戦争と民主主義」と特徴づけたが、ペルシア帝国は「平和と専制政治」であったといえる。前近代の中国などをみても、世界帝国は「平和と専制政治」の世界だったようである。

アテネの民主政治は人類の世界遺産である。まったく異なる国家類型であるペルシア帝国からも私たちが学ぶべきことは多い。

三、ヘレニズム国家——新しい時代へ

ペルシア戦争

第一節「アテネ」と第二節「アケメネス朝ペルシア帝国」において、古代世界における対照的なふたつの国家類型について述べた。本節では、両者を統合したアレクサンドロスの帝国、それを受け継いだヘレニズム諸国家をとり上げる。さらに、ヘレニズム時代の注目すべき国家形態である連邦国家についてもみることにしよう。

ペルシア帝国はギリシア人の住む地域も支配下においていた。小アジア西部のイオニア州はエーゲ海を望む地域で、早くからギリシア人が植民し、貨幣経済が発達していた。ペルシア帝国はイオニアの各都市に自治を認めていたが、それは親ペルシア派の僭主を通じてであった。前四九九年、ミレトスをはじめとする都市において、僭主を追放しようとする運動が起こると、民主政を掲げるアテネは二〇隻の軍船を派遣して反乱を支援した。

イオニア反乱はペルシア軍によって鎮圧され、前四九四年ミレトスが陥落して終わった。反乱の終結後、ペルシア王ダレイオス一世（在位前五二二～四八六年）はギリシアの各ポリスに使節を派遣し、土と水を献じるよう要求した。服従の意志を表明せよとのことである。アテネもスパルタも応じなかったので、ダレイオスはギリシアに対する懲罰遠征を行なうことにした。こうしてペルシア戦争が始まる。

前四九〇年、ダレイオスは軍隊をギリシアに派遣した。遠征軍の水先案内をしたのはアテネ人ヒッピアスである。僭主ペイシストラトスの長男で、僭主政打倒によりアテネを追われた人物であった。マラトンに上陸したペルシア軍をギリシア連合軍が迎え撃ったが、スパルタは折しも祭りの期間で、満月までは軍を動かしてはならないという掟（おきて）のため出陣が遅れた。アテネはほぼ単独でペルシア軍と戦うこととなった。

マラトンにおいてアテネ市民の重装歩兵軍団は、ペルシア軍の弓矢を避けるべく、駆け足で敵陣に突入し、激戦の末勝利した。勝利を報せる伝令がマラトンからアテネまで走ったのがマラソン競技の起源とされている。敗れたペルシア軍はいったん船に戻り、ギリシア側の内通者から連絡を受けて攻撃の機会を窺っていたが、アテネ軍がいち早く守りを固めたので、再度の上陸は断念し、帰国の途についた。

マラトンの敗戦から十年、続くクセルクセス一世（在位前四八六～四六五年）は、前回をはるかに上回る陸海の大軍を率いてギリシアに親征した。大軍を効率的に運ぶため、ダーダネルス海峡に舟橋をかけて陸軍を渡し、海の難所であるアトス半島に運河を掘削して艦隊を通過させた。

ペルシア陸軍を迎え撃つ場所としてギリシア連合軍はテルモピュライを選んだ。山が海岸にまで迫っており、数ではるかに勝る敵を食い止めることができるからである。総司令官に選ばれたのはスパルタのレオニダス王であった。テルモピュライでもポリス市民の歩兵部隊はその力を発揮し、地の利もあってペルシアの大軍を食い止めていた。ところが山越えの間道をペルシア側に教えた者がおり、背後を抑えられて防衛は不可能となった。レオニダス王は軍に撤退を指示したが、自分はスパルタ兵三〇〇名とともにとどまった。レオニダスが敢えて玉砕を選んだのはなぜか、さまざまの説がある。戦いのあと、この地にスパルタ兵のための墓碑が建てられたが、そこには次のように刻まれていた。

　旅人よ、スパルタびとに伝えてよ、ここに彼らが
　掟のままに、果てしわれらの眠りてあると。（ヘロドトス『歴史』七巻二二八）

掟という表現から、スパルタでは、いったん戦場に立ったなら敵にうしろを見せてはならない、とされていたとも考えられるが、そのような法律は確認されていない。

テルモピュライの要害を突破したペルシア軍はアテネを占領し、パルテノン神殿も破壊した。ギリシア全土がペルシアの支配下に入ろうとしていた。

危機を救ったのはアテネの海軍である。将軍テミストクレスは間者（かんじゃ）をペルシア側に送りこみ、ギリシア側は内部で分裂が生じて、ペルシア軍を迎え入れる動きがあると伝えさせた。テルモピュライでの先例もあって、ダレイオスは偽りの密告を真に受け、艦隊を狭いサラミス水道に送り込んだ。自慢の艦隊の勝利を見届

けようと、海を見下ろす丘のうえに陣取ったが、王が目にしたのは意外な光景であった。狭い水道でペルシアの大艦隊は思うように展開できず、次々とギリシア戦艦の餌食となった。ペルシア戦争はこのあとも続いたが、サラミスの海戦で大勢は決したと言ってよいだろう。

都市国家と世界帝国

ペルシア戦争は、ギリシアの民主政治とペルシアの専制政治の戦いと言われてきた。そのような理解の背景には、西欧文明の自画像——輝かしい自由と民主主義の伝統——が存在する。民主政治が行なわれ、古典文化が花開いたギリシア、アテネを称賛する一方、多くの民族を支配下におき、専制政治が行なわれたペルシア帝国は嫌悪すべき政体とされたのである。

多くの民族を支配する帝国という国家類型への批判は、近代のロシア帝国やハプスブルク家のオーストリア帝国に対しても加えられ、「民族の牢獄」などと呼ばれたりもした。第一次世界大戦、革命によってこれらの帝国が崩壊するなか、アメリカ大統領W・ウィルソンやロシアの革命家V・I・レーニンが唱えた「民族自決」は、新しい時代の光として輝いていた。民族自決の流れは第二次大戦後も続き、一九五五年のアジア・アフリカ会議（バンドン会議）、一九六〇年「アフリカの年」と展開された。

しかし二〇世紀の末に至って、民族自決の影の部分が目立つようになった。その典型がユーゴスラビア連邦を構成していた諸民族のあいだに生じた民族紛争——ユーゴスラビア内戦——である。連邦を構成する各民族がそれぞれ自立を追求した結果、民族間の対立、ひいては少数民族を迫害・追放するおぞましい「民族浄化」となったのである。このような状況を目の当たりにして、ハプスブルク帝国やオスマン帝国を懐かしむ声さえ上がるようになった。確かに他民族の支配を受けていたが、ある程度の自治はあったし、なにより平和があった。

民族自決の希望、民族浄化の悲劇を経た今日、ふたつの国家類型をより客観的に比較することが可能であり、必要であろう。ここではペルシア戦争を手がかりに、古代国家のふたつの類型を再確認することにしたい。

都市国家アテネ、スパルタを中心とするギリシアと、多くの民族を支配下におく世界帝国ペルシアの戦いは、ふたつの国家類型の特徴を浮き彫りにしている。国家の大きさを反映して軍隊の規模に違いがあるのは当然のこととして、その編成も大きく異なっている。ギリシア軍は市民によって構成されていた均質な軍団である。マラトンやテルモピュライで戦った重装歩兵は、それぞれアテネ、スパルタの市民であり、サラミスの海戦でもアテネの下層市民が戦艦の漕ぎ手として活躍した。このような軍隊にあっては、市民の団結が戦闘力に直結した。民主的な政治体制が重要だったゆえんである。これに対してペルシア軍は多国籍軍であった。大王直属のペルシア人部隊の他に、さまざまの民族の軍団からなっており、ギリシア兵も少なからずいた。こちらは、軍団を徴集・動員する命令系統、上意下達のシステムが重要となる。

戦術や兵站にも双方の国家の特徴が反映されている。ペルシア軍は数にものを言わせる作戦をとり、テルモピュライでも、損害をものともせず、次々と新手を繰り出していた。クセルクセス一世のダーダネルス海峡の架橋、アトス半島の運河建設などは、ペルシア帝国の高度な土木技術のみならず、大量の資材を集中的に投入できる体制を示している。ギリシア側は人力・資材の不足を、テルモピュライの要害、狭いサラミス水道といった自然条件を利用することで補っていた。

ギリシア側から裏切りがかなり出たことも注目すべきであろう。マラトン上陸作戦の水先案内を務めたのはアテネ人ヒッピアスであり、テルモピュライの間道をペルシア側に伝えた者もいた。民族を問わず、有用な者なら誰でも受け入れる、優遇するという世界帝国の民族政策のため、ペルシア軍にはギリシア人がかなりいたことが、裏切り・密告の背景にあったように思われる。そのような動きをテミストクレスは逆用し、ペルシア艦隊をサラミスに誘い出すことに成功した。そのテミストクレス自身、第二節で紹介したように、陶片追放となったあとペルシア帝国へ逃れ、王に仕えている。世界帝国の特徴を示す逸話である。

ポリスの統合――マケドニア王国

ペルシア戦争ではギリシアのポリスは団結して戦った。しかしポリス間の「慢性的戦争状態」はなくならなかった。アテネ＝デロス同盟とスパルタ＝ペロポネソス同盟に分かれて、二七年の長きにわたって行なわれたペロポネソス戦争は、古代ギリシアの「世界大戦」であった。ペロポネソス戦争のあとも、ポリス間の争乱は続いた。

このような混乱のなか、前四世紀半ばになると、ギリシアの北方に新たな勢力が抬頭してきた。兵員会のような民主政を思わせる組織はもつものの、ポリスとは異なる国家形態をもつマケドニア王国である。ポリスに比べてはるかに広い領域を支配下におき、強力な軍事力をもつマケドニアの進出を前にして、ギリシアの各ポリスは選択を迫られた。マケドニアの脅威にどう対応するのか、この時期のアテネを代表するふたりの弁論家の発言を聞いてみよう。

イソクラテスはこう説いた。果てしなく争いを続けるポリスに未来はない。ポリスの分立という状態が続く限り、ギリシアに争いが絶えることはない。マケドニア王のもとにギリシアがひとつにまとまれば平和が訪れる。イソクラテスは、マケドニア王フィリッポス二世（在位三五九～三三六年）にギリシアの未来を託した。まったく反対の主張をしたのがデモステネスである。マケドニアの支配下に入れば、ギリシア人は自由を失う。各ポリスは結束して民主政治の伝統を守るべきである。我々には、あの大帝国ペルシアと戦い、自由と独立を守った歴史がある。デモステネスはそう説いた。

強力な敵といえど、自由と独立を守るために戦うべきか。無謀な戦いは避けて、他国・他民族の支配に甘んじてでも平和に暮らすべきか。歴史において人々が繰り返し選択を迫られた難問である。民主政治の伝統を誇るアテネはデモステネスの道を選んだ。有力ポリスのひとつで、名将エパメイノンダスのもとスパルタを破ってポリス世界の覇権を握ったこともあるテーベと結び、前三三八年カイロネイアでフィリッポス二世のマケドニア軍と相まみえたのである。

ギリシア・ポリスの命運を賭けたカイロネイアの戦いはマケドニアの勝利に終わった。この戦いにおいて、一八歳の王子アレクサンドロスは騎兵部隊を率いて、テーベが誇る「神聖隊」を撃破する手柄を立てた。戦後、フィリッポス二世はギリシアの各ポリスの代表をコリントスに集め——スパルタは参加しなかった——、自分がギリシアの指導者であることを誇示した。翌年まで続いた会議では、マケドニア王フィリッポス二世のもと、ギリシアのポリスはペルシアへ遠征し、かつての侵入・破壊に報復することが決議された。デモステネスはなお反マケドニアを唱えたが、大勢は如何（いかん）ともしがたく、最後は自害することになる。

前三三六年、フィリッポス二世は東方遠征の準備中に暗殺された。下手人がその場で殺されたため、事件の真相は不明である。黒幕は妃のオリュンピアスだという説が有力で、アレクサンドロスその人だという噂もあった。父が連戦連勝で領土を広げてゆくのを見て、「俺の仕事がひとつも残らなくなる」と不機嫌につぶやいたという逸話が根拠らしいが、アレクサンドロス犯人説は信憑(しんぴょう)性に乏しい。

アレクサンドロスの夢

フィリッポスのペルシア遠征計画は、その息子アレクサンドロスによって実施される。少年アレクサンドロスに大きな影響を与えた人物がふたりいる。ひとりは母オリュンピアスで、もうひとりが有名な哲学者アリストテレスである。母はアレクサンドロスを英雄として育てようとした。ことあるごとに「あなたの祖先はトロイア戦争の英雄アキレウスです」と語り、我が子にアキレウスと呼びかけるよう家庭教師に指示したという。

母親の影響力を少しでも弱めようとしたのだろうか、父フィリッポス二世は息子が一三歳になると、都の郊外に学校を建て、アリストテレスを教師に招いて、貴族の子弟とともに学ばせた。アレクサンドロスは『イリアス』やギリシア悲劇に親しみ、自然科学への関心を深めた。のち東方遠征に、アリストテレスから貰ったエウリピデス――晩年をマケドニアで過ごした悲劇作家――の本を持参し、多数の自然科学者を同行させて各地の調査を行なわせている。

即位から二年、アレクサンドロスは東方遠征に出た。彼はこの遠征に全財産をつぎ込んだ。側近のひとりが「手もとに何を残しておかれますか?」と尋ねると、アレクサンドロスは「希望だ」と答えたと伝えられている。すべてを注ぎこんだ大遠征は一〇年に及んだ。ペルシア帝国を滅ぼしたあとも、さらに東へと遠征を続け、遠く西北インドまで進んだのである。アレクサンドロスが創り上げようとした国家は、ギリシアの都市国家やマケドニアの王国ではなく、ペルシアの世界帝国であった。彼はペルシア王の後継者として専制君主となってゆく。それに不満を持つマケドニア人、ギリシア人もいた。陣営に設けられた宴席で将校のひとりが、「数千人で獲得した賜杯を、ひとりの人間が我が物とする」と、エウリピデスの一節をつぶやいて、その場で殺されるという事件も生じた。

それでも圧倒的多数の将兵は、アレクサンドロスのもと長期にわたる遠征を続けた。それを可能にした条件はいくつもあるが、アレクサンドロス大王の個性も大いに与（あずか）っていた。英雄アキレウスに倣（なら）ってみずから最前線で戦う姿は将兵を鼓舞した。部下の衆望を集めたのは勇敢さだけではなかった。アリアヌス（アッリアノス）の『アレクサンドロス大王東征記』には次のような話が記されている。灼けつくような暑さのなか、咽喉（のど）の渇きに苦しみつつ砂漠を行軍していた時、数人の偵察兵が水を探しに隊列を離れた。とある岩の窪みに、ほんの僅かばかりの水を見つけると、彼らは宝物のように持ち帰り、兜に入れてアレクサンドロスに奉（たてまつ）った。アリアヌスは続けてこう書いている。

> アレクサンドロスはそれを受け取って、水をもたらした者たちに厚く礼を言うと、皆が見守るなかで水を地面へぶちまけてしまった。アレクサンドロスのこの振る舞いは、軍の全体をいちじるしく元気づけた。王が棄てた水は、ひとりひとり、全員がそれを飲み干したのだと、誰もがそう考えた。（第六巻二六）

アレクサンドロスの大帝国は、ペルシア帝国という下地があったとはいえ、たぐいまれな資質をもった王個人の力に依るところが大きかった。

遠征から戻ったアレクサンドロスは前三二三年初めバビロンに入り、ここを都として国家統治を進めようとしたが、その年の六月に熱病で死んだ。まだ三二歳であった。王が交代しても安定した支配が継続する、そのような国家のしくみ、制度を創り上げる時間はアレクサンドロスに与えられなかった。個人の力に依るところが大きかった大帝国はたちまち解体する。しかし彼の行動は新たな時代、新たな世界を生み出した。ギリシアのポリス世界とペルシア帝国が融合するヘレニズムの出現である。

プトレマイオス朝エジプト王国の繁栄――アルシノエ二世

アレクサンドロスの死後、「後継者ディアドコイ」と呼ばれた部将たちのあいだで跡目争いが展開された。その過程で大王の一族は次々と殺され、王家が断絶すると、部将たちはそれぞれ王を名乗るようになった。「後継者戦争」の結果、広大な旧大王領は最終的に、いわゆるヘレニズム三国、セレウコス朝シリア王国、アンティゴノス朝マケドニア王国、プトレマイオス朝エジプト王国に分かれた。少し遅れて前三世紀半ばになると、シリア王国の東部領域にバクトリア王国、パルティア王国が成立した。

ヘレニズム国家の代表と言ってよいのが、プトレマイオス朝エジプト王国である。王朝の創始者プトレマイオス一世は、アレクサンドロスの東方遠征に参加した部将で、大王の死後、エジプト総督として後継者争いに名乗り出て、大王の遺体を手に入れると前三〇五／〇四年に王を名乗った。こうして成立したプトレマイオス朝は、ペルシア帝国に征服される以前のエジプト王国が復活したものと言える。王家はマケドニア人であり、ギリシア人の官僚・軍人が幅を利かせて、ギリシア語が公用語であったが、国家はオリエント型の官僚制専制国家で、王が神格化された点でも、古代エジプト王国の伝統を受け継いでいた。

プトレマイオス朝はナイル川流域の農業を基礎に、地中海・紅海の国際貿易で繁栄し、都アレクサンドリ

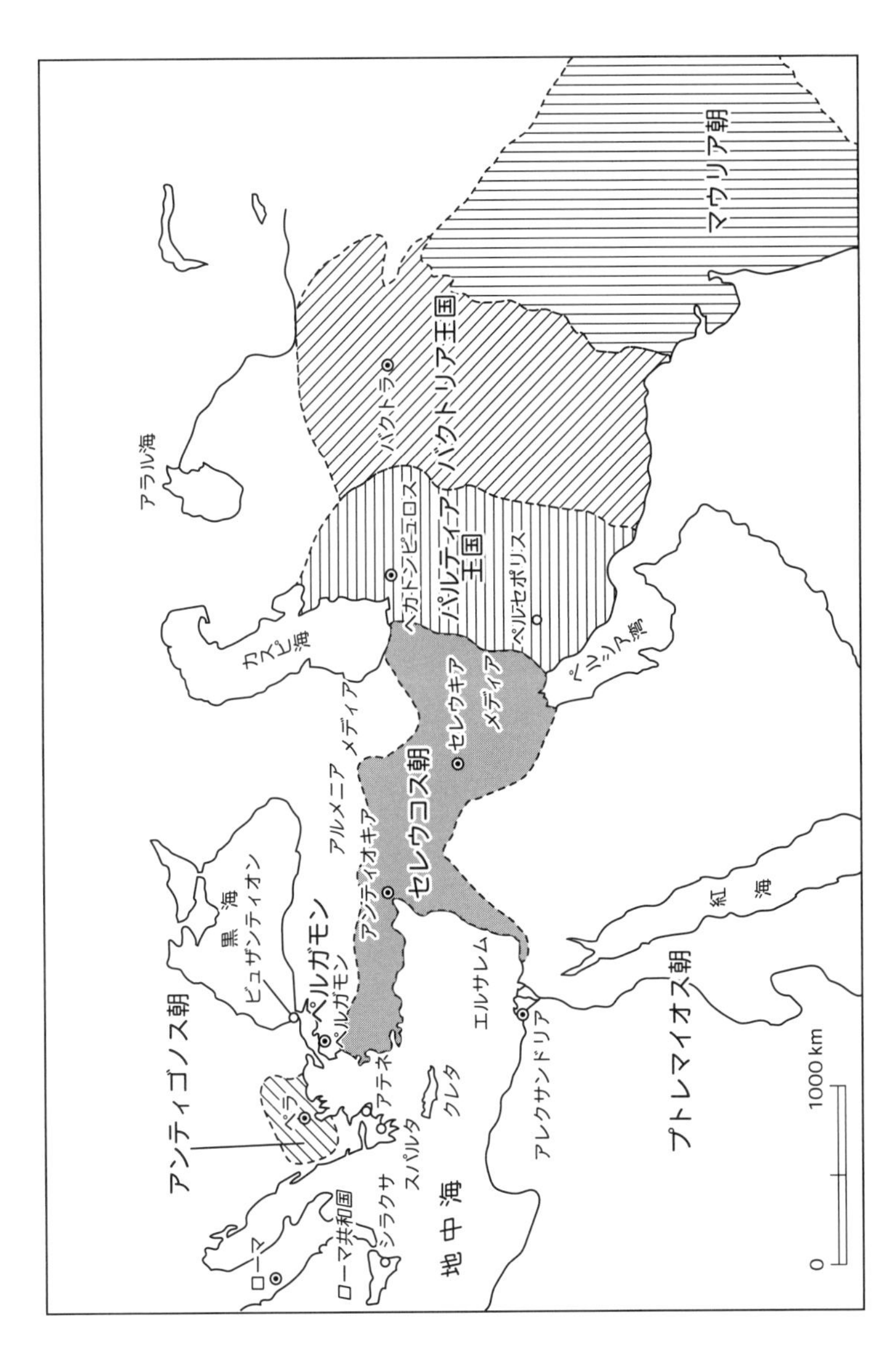

地図4　前200年頃のヘレニズム世界
（参考文献、『西洋古代史集』より作成）

アはヘレニズム文化の中心地となった。港の入口に建てられた大灯台は「世界の七不思議」のひとつに数えられている。若い日にアレクサンドロスとともにアリストテレスに学んだプトレマイオス一世は、優れた文化人でもあった。晩年の著作『アレクサンドロス戦争史』は現存しないが、先に引用したアリアヌス『アレクサンドロス大王東征記』の重要な情報源となっている。ヘレニズム文化の象徴と言ってよいアレクサンドリア図書館やムセイオン（王立研究所）も、近年の研究ではプトレマイオス一世の設立という説が有力である。

続くプトレマイオス二世（前二八五〜二四六年）のもとで、プトレマイオス王朝エジプト王国は最盛期を迎える。王朝の繁栄は妃アルシノエ二世に負うところが大きかったようである。プトレマイオス一世の娘として前三一六年頃に生まれたアルシノエは、前三〇〇年に「後継者」のひとりリュシマコスと結婚した。その前年、父プトレマイオス一世はリュシマコスと結んで、マケドニア王と称して後継者争いの中心であったアンティゴノス一世を破っており（イプソスの戦い）、アルシノエの結婚は典型的な政略結婚であった。

アルシノエは三人の息子を生んだが、リュシマコスは先の妃とのあいだに生まれていた息子アガトクレスを後継者とした。自分の息子に王位を継がせたいアルシノエは、アガトクレスが劣情を抱いて迫ってきたと誣告（ぶこく）し、前二八四年アガトクレスは処刑された。アガトクレスの妻リュサンドラは残された子供を連れて、もうひとりの「後継者」シリア王国のセレウコス一世のもとへ逃れた。

セレウコスはリュサンドラの兄ケラウノスと結んで、前二八一年リュシマコスを破る。リュシマコス亡き後、ケラウノスはセレウコスを暗殺してマケドニア王と名乗り、王位を正統化するためにアルシノエ二世と結婚した。アルシノエはまたも政略結婚を余儀なくされ、またも王位争いに巻き込まれる。アルシノエの息子たちはケラウノスによって殺され、アルシノエ自身もマケドニアを逃げ出して、前二七九年、やっとのことでエジプトに戻った。

二〇年ぶりに戻った故郷エジプトでは、彼女の弟プトレマイオス二世が王位にあった。プトレマイオス二世にはアルシノエ一世という妃がいたが、アルシノエ二世は、妃が王の殺害を企んでいると告発したようである。プトレマイオス二世はそれを真に受けて妃を南エジプトへ追放し、実の姉アルシノエと結婚した。こうしてアルシノエ二世はエジプト王妃となった。このあとプトレマイオス王朝では兄妹結婚が繰り返される。これもまた、同王朝が古代エジプト王国の伝統を受け継いだことを示すものといえよう。

プトレマイオス二世のもとでプトレマイオス朝の支配体制は確立した。王は神格化され、官僚制・徴税制度の整備も進んだ。アルシノエ二世は古代エジプトの女神イシスと同一視され、王とともに「神なる姉弟」と呼ばれた。異国での経験を生かしたアルシノエの政治的才覚は、のちの女王クレオパトラ七世、美貌を武器にローマの将軍たちと渡り合った、プトレマイオス王朝最後の王と比べられたりもする。

連邦国家の挑戦——司令長官アラトス

アレクサンドロスの大帝国があっけなく崩壊したあと、プトレマイオス朝エジプト王国をはじめとする一連の国家、いわゆるヘレニズム国家が分立した。そのような状況において、特殊なかたちの国家がギリシアにおいて展開した。複数の都市がひとつの政治的連合体を形成する都市同盟、都市間の統合をさらに強めた連邦国家である。都市同盟はポリスの時代から存在したが、国家と言えるようなまとまりはヘレニズム時代になって生まれた。

ペロポネソス半島北西部のアカイア地方では、すでに前五世紀に一二のポリスが連合して都市同盟を結成していた。都市同盟が再建・強化され、連邦国家として大きな力をもつようになるのはヘレニズム時代である。前二八〇年頃、アカイア地方で新たなかたちの都市同盟が結成された。当初は複数の指導者がいたが、ほどなく司令長官（ストラテーゴス）と呼ばれる単独の指導者をもつようになった。連邦国家と称すべき組織となったと言えよう。前二四五年からはアラトスという人物が連邦の司令長官となる。アカイア連邦の基礎を築いた人物と、前二世紀のギリシア人歴史家ポリュビオスは紹介している。以下、アラトスの活動を通じて連邦の発展をたどってゆこう。

ペロポネソス半島東北部の町シュキオンの人アラトスは、町の僭主を打倒したのち、民主政を維持するために、半島西北部の都市が形成していたアカイア連邦に加盟することにした。これが連邦拡大の第一歩となった。アラトスは政治家・将軍としての才能を認められ、外様（とざま）の身ではあったが、ほどなく連邦の指導者である司令長官に選ばれた。アラトスのもとアカイア連邦がめざした方向は次のふたつであった。（1）マケドニア王国の勢力をペロポネソスから排除する、（2）各都市に自由と民主政を確立する。ひとことで言えば、ポリスの伝統を守ることである。

連邦司令長官アラトスの最初の功績は、マケドニア王国のギリシア支配の拠点であったコリントスを征服し、連邦に加盟させたことである。これをきっかけに、ペロポネソス半島中央部のメガロポリス、アルゴス、半島外のメガラが連邦に参加した。連邦の拡大は、半島南部の有力ポリス、スパルタに警戒心を持たせた。スパルタ王クレオメネス三世（在位、前二三五頃〜二二二年）は、アカイア連邦に戦いを挑み——クレオメネス戦争と呼ばれる——、二二三年にはメガロポリスを占領した。

スパルタの攻勢に対してアラトスは、宿敵であったマケドニアと結んだ。スパルタは全ギリシアを支配し、ゆくゆくはマケドニア王国を滅ぼすだろうと言って説得したのである。クレオメネス戦争は、前二二二年のスパルタ北方セラシア峠の戦いにマケドニア＝アカイア連合軍が勝利したことで終結する。クレオメネス三世は遠くエジプト王国へ亡命し、スパルタはその歴史上はじめて外国軍に占領された。

セラシア峠の戦いではフィロポイメンという男が活躍した。歴史家ポリュビオスはアカイア連邦の基礎を築いたアラトスと並べて、連邦を完成させた人物としてフィロポイメンを称えている。セラシアの戦いでフィロポイメンは、敵の混乱を見るや、総司令官であったマケドニア王の命令を待たずに突撃して、連合軍を勝利に導いた。戦いのあと、王は部下のマケドニア兵に「なぜ、余の命令がないのに勝手に軍を動かしたのか」と問い詰めた。兵士たちは弁解した。「自分たちはそのつもりはなかったのですが、跳ね上がりの若造が敵に突入しましたので、我々もじっと見ているわけにはゆきませんでした」。王は笑って、この度の勝利はその若者の手柄だと言った。

「最後のギリシア人」フィロポイメン

続いて、このフィロポイメンの活動を通じて、ヘレニズム期ギリシアの連邦国家の特徴を明らかにしよう。フィロポイメンは前二五三年にメガロポリスに生まれた。ちょうどアカイア連邦が単独の司令長官のもと国家的なまとまりを強め始めた時期である。先に述べたように、アラトスのもと連邦は拡大・発展に向かい、前二三五年にはフィロポイメンの故郷メガロポリスも連邦に加盟した。

セラシアでの功績に感心したマケドニア王からの、召し抱えようという申し出を断って、フィロポイメンは新たな戦いの場を求めてクレタ島へ渡った。一〇年後にアカイアに戻り、アラトス亡き後の連邦司令長官としてスパルタ軍と戦った。前二〇七年にはスパルタの僭主マカニダスを討ち取るという大戦果を挙げている。ついに一九二年にスパルタを占領して、アカイア連邦に加盟させることに成功した。ポリュビオスの言う通り、連邦を完成させた指導者であった。

ここでアカイア連邦の政治的な構造をまとめておこう。ポリュビオスによれば、「この地域の住民すべてを囲い込むような共通の城壁がない」ことを除けば、地域がひとつの都市となり、同一の制度のもとで暮らすようになったという。「戦争と友好にかかわる単一の共同体」と表現しているが、かなり誇張がある。実際には、加盟の諸都市はなお独自の法や通貨をもっていた。

自由と民主政が連邦の基本精神であり、加盟都市間の平等が重視された。指導者である司令長官のもと、連邦としての一体化が進められたが、独裁、僭主政治にならないよう、司令長官職は任期一年とされ、二期連続して就任することは許されなかった。この原則は厳格に守られたようで、指導者として高く評価され、一六期も司令長官を務めたアラトスも、必ず一年空けて就任している。

前三世紀半ばから前二世紀初めにかけて、アカイア連邦はスパルタ、マケドニアのあいだを縫うようにして発展した。しかし時代は移りつつあった。第一次、第二次のマケドニア戦争（前二一五〜二〇五年、二〇〇〜一九六年）でローマがマケドニアを破ると、連邦内でもローマとの連携を重視する動きが見られるようになった。その旗頭が、フィロポイメンの政敵となったアリスタイノスである。第二次マケドニア戦争のさなかに連邦司令長官となったアリスタイノスは、クレオメネス戦争以来の親マケドニア政策を転換し、ローマと結ぼうとした。

ギリシアにも及んでくるローマの勢力、それにどう対応するのか、アカイア連邦は選択を迫られた。アリスタイノスは言う。ハンニバルのカルタゴを打倒したローマの軍事力は誰も否定できない。マケドニア王国も屈服した。ローマに立ち向かえるだけの力が我々にあるなら、自由のために反旗を翻すのもよかろう。しかしそれは不可能である。理想を追い求めるあまり、破滅に至ってはならない。

ギリシアの自由を掲げるフィロポイメンは反論する。

いつの日か、ギリシア人がローマ人の命令のすべてに服さざるをえなくなる時が来る、そのことは私も十分に承知している。……つまりアリスタイノスは、この必然が少しでも早く来るのが見たいと躍起になり、そのためにできるかぎりの手助けをする。一方、私は可能な限りその到来を押しとどめ、できれば押し返そうとする。（ポリュビオス『歴史』二四巻六～七）

かつてマケドニア王国の進出を前にして、アテネをはじめとする各ポリスが迫られた選択——自由と民主政を守るか、平和と安全を確保するか——にアカイア連邦も直面した。まとまりの弱い連邦国家だけに政治路線の対立は、連邦離脱の動きも含む深刻な問題となった。フィロポイメンの最期もこのような連邦離脱問題が関わっていた。前一八二年、離脱をはかる町を討つため、病をおして出陣したフィロポイメンは敵兵の手に落ち、獄中で毒を飲むよう強制された。マケドニアとの対決を説いたアテネの弁論家デモステネスの自害を思わせる最期である。

『プルタルコス英雄伝』は、「あるローマ人はこのフィロポイメンのことを『最後のギリシア人』と呼んで称えた」と記している。彼より後には、ギリシアの名に値するような人物は現れなかったというのである。パウサニアス『ギリシア旅行記』も「このあとギリシアは良き人物を生むことを止めた」と述べ、ギリシア全体にとっての恩恵者と言えるのは、マラトンの英雄ミルティアデスが最初で、最後がフィロポイメンであったとまとめている。

フィロポイメンの死後、第三次、第四次のマケドニア戦争（前一七一～一六八年、前一四九～一四八年）でマケドニア王国は滅亡し、アカイア連邦も前一四六年に解体された。ちょうどカルタゴ滅亡の年であり、ここにローマの地中海世界支配が事実上確立したのである。

クレオパトラ――ヘレニズムの終焉（しゅうえん）

こうしてヘレニズム諸国のうち、まずマケドニア王国がローマに併合された。続いてセレウコス朝シリア王国が前六四年、ローマの将軍ポンペイウスによって征服された。プトレマイオス朝エジプト王国も、プトレマイオス二世とアルシノエ二世の姉弟による共同統治の時代を最盛期として、次第に混迷を深めていった。王朝の内紛に加えて、支配者であるギリシア人・マケドニア人と多数を占めるエジプト人との対立も激しくなり、ローマの進出によって存亡の危機を迎える。

前五八年、プトレマイオス一二世はローマに大幅な譲歩をしたため、国内の反発を招き、娘クレオパトラを連れてローマへ亡命した。数年後、プトレマイオス一二世はローマ軍の支援のもとエジプトに戻った。この時に活躍したのが将軍アントニウスである。アントニウスとクレオパトラ、シェイクスピアの戯曲の主人公となるふたりの出会いはこの時だったと思われる。父一二世の死後、クレオパトラは弟のプトレマイオス一三世とともにエジプト王となった。クレオパトラ七世、プトレマイオス王朝最後の王である。

クレオパトラもまた、かつてフィロポイメンが直面した問題、ローマの進出への対応に迫られた。ただ、当時のローマでは有力な将軍のあいだで覇権争いが展開されており、クレオパトラはそれを利用することができた。絶世の美女であることも武器として、難局に立ち向かったのである。

前四八年、ローマの将軍が相次いでエジプトへやってきた。その前年「賽は投げられた」と唱えて、カエサルは政敵ポンペイウスとの戦いに踏み切った。敗れたポンペイウスは軍をまとめエジプトへ落ち延びてきた。当時、姉クレオパトラを追放して単独の王となっていたプトレマイオス一三世にとって厄介な客人であった。拒絶すればポンペイウスと戦うことになり、迎え入れればカエサル軍の攻撃を招く。側近は最善の方法を考えついた。ポンペイウスを迎え入れたのち、隙を見て殺し、その遺体をカエサルに渡してお引き取り願う、という案である。

首尾よくポンペイウスを殺したが、期待に反してカエサルは引き揚げることなく、アレクサンドリアに上陸した。都を追われていたクレオパトラは、カエサルの力を借りて王位に復帰しようと考えた。プトレマイオス一三世派の警戒網をくぐり抜けてカエサルのもとを訪ねたのである。カエサルに贈られた絨毯を広げると、なかから美しい女性が現われたという話はよく知られている。『プルタルコス英雄伝』によると、クレオパトラは寝具袋に潜りこんでカエサルのもとへ運ばれたといい、続けて次のように記している。

> カエサルがこの女性の虜になってしまったのは、蠱惑的な姿で現れるというクレオパトラのこのまず第一の術策のためであったといわれている。それに、彼女のその後の魅力的な応接にみごと兜をぬがされてしまい、弟の王と彼女を和解させ、王位を共有させたということである。（「カエサル伝」四九）

カエサルは、和解勧告を拒否したプトレマイオス一三世派と戦い——アレクサンドリア戦争、前四八～四七年——、クレオパトラを王位に戻した。戦いのあと、ふたりはナイル川を遡って南部国境まで旅をした。戦争の連続であったカエサルの生涯では珍しい、優雅な日々だったようである。いずれこの豊かなエジプトを手に入れるべく、その実情を確かめておくという狙いがあったのかもしれない。

カエサルがエジプトを立ったあと、クレオパトラは男児を生んだ。カエサリオン（小カエサル）と呼ばれ、カエサル唯一の男子とされている。クレオパトラは大きな夢を描いた。ゆくゆくはこの子をプトレマイオス一五世としてエジプト王にする、カエサルの後継者としてローマの支配者も兼ねさせる。しかし「ブルートゥス、お前もか」という言葉を残して世を去ったカエサルの遺言状には、カエサリオンのことは何も書かれていなかった。

カエサル暗殺のあと、養子のオクタウィアヌスと部将のアントニウスが跡目争いを展開した。クレオパトラはアントニウスに夢の実現を賭け、最終的にふたりは結婚した。アントニウスは、クレオパトラを「諸王の女王」、カエサリオンを「諸王の王」とした。カエサルの跡を継ぐのはこちらだという主張である。しかし、アントニウス＝クレオパトラの連合軍は、アクティウムの海戦（前三一年）でオクタウィアヌスに敗れた。クレオパトラはエジプトへ逃げ戻ったが、追撃してきたオクタウィアヌスの手に落ちた。誇り高い女王は、凱旋式の見世物にはなるまいと、毒蛇に身を咬ませて自害する。ここにプトレマイオス王朝は滅亡、エジプトもローマの支配下に入った。

クレオパトラがカエサルやアントニウスを魅了したのは、エジプトの富に加えて、その美貌、優雅な振舞い、高い教養のためであった。彼女はギリシア語だけではなく、オリエント世界の多くの言葉を理解し、各国の使節と通訳なしで話をしたと伝えられている。東西文明の融合というヘレニズムを象徴する女性であった。フィロポイメンを「最後のギリシア人」と呼ぶなら、クレオパトラは「最後のヘレニズム人」と言えるかもしれない。

日本まで来たヘレニズム

一九三七（昭和一二）年、「日本小国民文庫」全一六巻の最終巻として吉野源三郎『君たちはどう生きるか』が刊行された。戦争とファシズムが国民を包みこむなか、次の時代を担う若者に希望を託して企画された日本小国民文庫の精神を集約した一冊である。

その末尾近くに「水仙の芽とガンダーラの仏像」という章がある。春の彼岸、中学生のコペル君（主人公のあだ名）は、深く埋められた球根からようやく地上に芽を出した水仙を見つけて感動した。その夜、叔父さんの家を訪ねたコペル君に、叔父さんはギリシア彫刻と仏像の写真を見せて、ガンダーラの仏像の話をしてくれた。ヘレニズム世界を生み出すことになったアレクサンドロス大王の理想に触れたあと、叔父さんは言う。

「だから、コペル君、仏像というものは仏教思想だけで生まれて来たのではない。また、ギリシア彫刻の技術だけで、作りだされたのでもない。両方が結びついて、はじめて生まれて来たものなんだ。」

東洋のものと考えていた仏像が、実は、西洋の文明と東洋の文明との間に生まれた子供なのだと知って、コペル君は驚いた。その仏像がはるか日本まで渡来したのかと、ギリシアから東洋の東の端までのはるかな距離、二〇〇〇年の時の流れ、生まれては死んでいった人々にコペル君は思いを馳せる。さまざまな民族を通して、とりどりに生まれて来た美しい文化に感動する。昼間、庭で見た水仙の芽のように苦難を乗り越えて伸びてゆく力は、何千年の歴史のなかにも息づいているのだ、とコペル君の胸は膨らむのであった。

（参考文献）吉野源三郎『君たちはどう生きるか』岩波文庫、一九八二年アレクサンドロス大王に始まったヘレニズムはクレオパトラをもって終わり、ローマ世界帝国の時代となる。

第二章

都市国家から世界帝国へ——ローマ国家史

第二章では、都市国家アテネや世界帝国ペルシアと並ぶ、もうひとつの古代国家としてローマを取り上げる。ローマは小さな都市国家から、地中海世界の全体を支配する世界帝国へと発展した。アテネ型の国家からペルシア型の国家へと変化したのである。しかもごく初期を除いて、その歴史がかなり細かいところまでわかっている。以下、ローマ史の画期となった事件や人物を通じて、成立・発展・衰退・滅亡と展開する国家の動態を具体的に見てゆこう。

一、共和政ローマ――領土の拡大と国家構造の変化

奇妙な建国神話――アエネアスからロムルスへ

いずれの民族にも、民族の誕生、国家の起源を説き明かした神話がある。日本の天孫降臨(てんそんこうりん)、ユダヤの旧約創世記などは、私たちにもなじみ深い神話である。ローマ人も建国神話をもっている。ローマの国を建てたのは、その名もロムルスという人物とされるが、ローマの建国神話はロムルスの祖先に遡(さかのぼ)って始まる。ところが伝説をまとめた叙事詩『アエネイス』はきわめて奇妙な物語である。

ホメロスの英雄叙事詩『イリアス』で知られるトロイア戦争が、ローマ建国神話の始まりである。一〇年にわたってギリシア連合軍の攻撃に持ちこたえてきたトロイアも、有名なトロイの木馬作戦によってついに陥落した。この時、トロイアの町から命からがら逃げ出した人々がいた。勇将アイネイアス（ラテン名アエネアス）もそのひとりである。足の悪い父を背負い、幼い子の手を引いてアエネアスは焼け落ちる町を脱出し、諸国を放浪する旅に出る。旅を続けるアエネアスの夢枕に、戦死したトロイア王子ヘクトルが立ち、新たな

土地に国を建て、祖国トロイアの神を祀れと告げた。アエネアスはイタリア半島にたどり着き、テヴェレ川を遡って、新しい国を建てるべく現地の勢力と戦う。敵将を倒したところで、ウェルギリウスの叙事詩『アエネイス』は唐突に終わる。

神話とはいえ納得しがたい話である。ギリシア神話のおこぼれ頂戴のようなもので、負けてトロイアを逃げ出した者が自分たちの祖先というのは、日本各地の山村に伝わる平家の落武者伝説に似ているが、建国神話としては如何にもみすぼらしい。それでもローマ人はこの話を自分たち歴史として語り継いできた。ローマ文明が如何にギリシアの影響を強く受けていたのかを語るもの、より一般化するなら、多くの民族において、国家形成は先進文明の影響を受けつつ進んだことを示すものと言ってよいだろう。

このあとローマ建国神話は、アエネアスの子孫であるロムルスとレムスの兄弟の話、「狼伝説」へと展開してゆく。狼に育てられた兄弟は成人し、新しい町を建設することにした。ところが、どちらがその町の支配者になるかをめぐって争いが起こる。鳥占いで決着をつけることとなり、軍配はロムルスに上がった。ロムルスは町に自分の名前を付け、ここにローマが誕生する。紀元前七五三年四月二一日のこととされている。ちなみに、完成されたかたちのローマ神話では、ロムルスは、軍神マルスがアエネアスの子孫であるレア・シルウィアに孕ませた子とされている。落ち武者伝説に神を合体させて、建国の祖を称えようとしたのであろう。

ロムルス以降七代の王が続いたが、いずれも伝説上の存在で確かなことはわからない。後半の三代は名前や続柄からみてエトルリア人のようである。この時期のローマは、先住民で高度な文化をもっていたエトルリア人の支配に服していたと思われる。考古学の成果も合わせると、エトルリア支配のもとでローマは国家元老院や平民としてのかたちを整えていったらしい。王宮や城壁、広場・神殿といった都市施設が造られ、元老院や平民などの身分が成立した。

第七代の王はスペルブス（傲慢な）と綽名されており、王子など一族の不祥事も続いたため、元老院や民衆の反発を買って追放された。ここに王政の時代は終わり、ローマはアテネと同じく共和政の都市国家となった。王政から共和政への転換は、エトルリア支配からの独立でもあり、ローマの歴史は新たな段階に入る。

戦争国家ローマ

ローマの歴史は戦争の歴史、征服・拡大の歴史である。歴史上いずれの国家も戦争をもっとも重要な課題としており、国家とは戦争をするための組織だと言っても過言ではないが、とりわけローマは戦争国家という性格を強く帯びていた。どのように戦うのか、勝つために何が必要か、そこに向けてローマ国家は組織されていたのである。小さな都市国家から大帝国へ発展した原動力は軍事力にあったと言ってよいだろう。以下、軍事面に焦点を当てつつローマ国家の歴史をたどることにする。

ローマ史の前半は共和政の時代で、それはまた前後ふたつの時期に分けられる。一般には、前五〇九年の王制廃止から、前二八七年のホルテンシウス法成立、前二七二年のイタリア半島統一までを共和政前期、それ以降、地中海を統一し、オクタウィアヌスが帝政を開始する前二七年までを共和政後期と呼んでいる。

共和政前期はふたつの点で特徴づけられる。ひとつはイタリア各地の征服である。隣接するエトルリア人の都市ウェイイーとの戦争を皮切りに、征服戦争が次々と行なわれ、南イタリアのギリシア人植民市タレントゥムを併合して半島の統一は完了した。もうひとつの特徴は、平民の政治的権利の拡大である。共和政成立直後に護民官（ごみんかん）の職が設置されたのに始まり、平民会の議決を国法とすると定めたホルテンシウス法の制定まで、市民の政治的権利の拡大が進んだ。

このふたつの現象は一対のものであった。両者が結びつくところに軍事国家というローマの特徴が現れている。征服戦争には市民が従軍した。当初は豊かな市民が軍の中心であったが、戦争の規模が拡大するにつれて、より多くの兵力が必要となり、一般市民も召集されるようになった。それとともに、祖国のために戦い、勝利をもたらした市民たちの政治的発言権も強くなってゆく。平民の政治的権利が伸長してゆくのである。アテネと同様、ローマにおいても民主政治の発展は戦争と結びついていた。やはり「戦争と民主主義」の世界であった。

ローマの民主的性格は国家を表わす言葉にも反映している。ローマ国家の正式名称は Senatus Populusque Romanum＝SPQR「ローマの元老院と民衆」である。また国家とは res publica であると理解されていた。res とは「もの」、publicus は「公の、万人の」という意味で、国家とは万人のもの、我々みんなが主権者だというのである。

ローマ国家の正式の構成員とされたのは、言うまでもなく市民権を持つ者、ローマ市民である。市民にはさまざまの特権があったが、同時に重要な義務があった。みずからの費用で武装を整え従軍することである。共和政期のローマには常備軍は存在せず、戦争のたびに召集される市民が軍隊を構成していた。逆に言えば、兵士として国のために戦う者、従軍できる者だけが国家の正式の構成員であった。だからこそ女性に市民権が与えられなかったのであろう。まさに軍事国家、戦争国家であった。

このような国家構造がローマの拡大の基礎にあったが、都市国家から世界帝国への発展を可能とした、より直接的な要因もあらかじめ指摘しておきたい。ローマ国家の正式の構成員たる資格である市民権が開放的だったことである。ローマ市民権は被征服民にも与えられることがあり、その一方で、征服地にローマ市民が入植して、イタリア半島、さらには地中海世界の各地にコロニアと呼ばれる植民市が建設された。ローマ人ではないローマ市民、ローマに住んでいないローマ市民が多数いたのである。この点はアテネと対照的である。市民権を厳しく制限したアテネが、都市国家以上には拡大しなかったのに対して、非征服民への市民権の付与、植民市の建設によってローマは拡大を続けた。

地中海世界の覇者へ――ハンニバル戦争

イタリア半島の統一とともにローマの歴史は、共和政後期と呼ばれる新たな段階に入る。共和政の前期が、平民の政治的権利の拡大とイタリア半島での征服の進展の時代だったのに対して、後期は半島の外部、地中海世界に領土を拡大する時代となる。共和政後期のそのまた後半には、征服戦争で名を挙げた将軍たちが、国内政治における主導権争いを展開した。「内乱の一世紀」と呼ばれるこの混乱は、最終的にひとりの支配者、すなわち皇帝による支配体制の樹立によって収拾され、ローマの歴史は帝政時代へと進んでゆく。まずは地中海世界への進出の第一歩となったポエニ戦争、百年以上に及んだカルタゴとの戦争を検討することによって、ローマ国家の特徴を再確認しておこう。

共和政前期にはローマとカルタゴはおおむね友好関係にあった。当時のローマは内陸国家、農業国だったので、海上貿易を経済活動の中心とする商業国家カルタゴと競合することはなかったからである。しかしローマが地中海世界へ乗り出すと状況は大きく変化した。イタリア半島を統一したローマは続いて、すぐ前

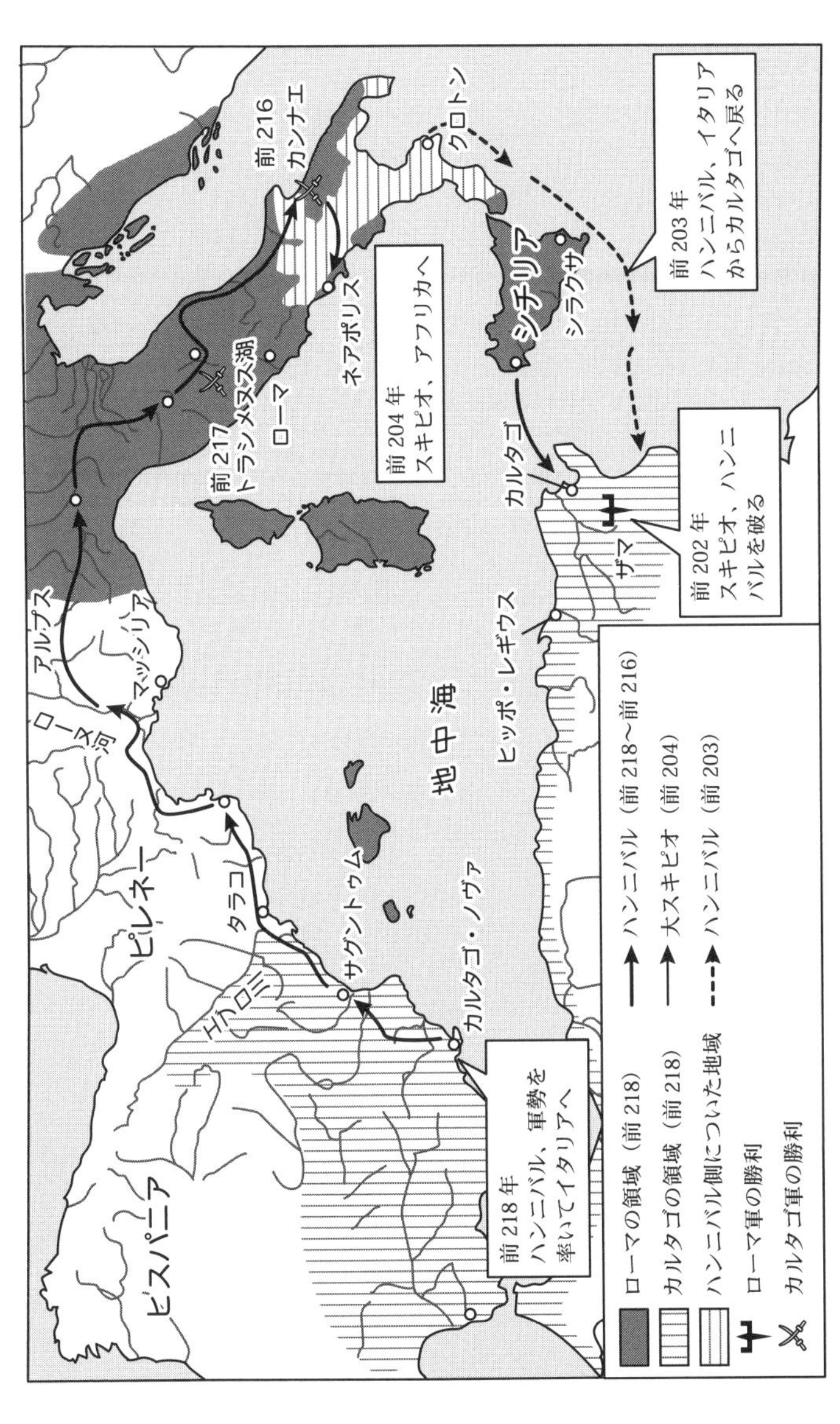

地図５　第２回ポエニ戦争
（参考文献、本村『地中海世界とローマ帝国』より作成）

の海に浮かぶシチリア島に目を向けた。地中海の中央に位置するこの島は、カルタゴにとって生命線のひとつであった。半島統一から一〇年も経たずして、ローマはシチリア島をめぐってカルタゴに宣戦布告する。カルタゴとのポエニ戦争は前後三回にわたって行なわれたが、まずこの第一回ポエニ戦争に勝利して、シチリア島を最初の海外領土とした。こうしてローマは地中海を「我らの海」とする国へと変貌してゆく。

もっとも激しく戦われたのが第二回の戦争である。第二回ポエニ戦争はハンニバル戦争とも呼ばれるように、カルタゴの名将ハンニバルがスペインから南フランスのローヌ川を渡り、アルプスを越えてイタリアに進撃してきた。ハンニバルを迎え撃ったローマ軍は、ティキヌス川の戦い、トレビア川の戦い（いずれも前二一八年）、トラシメヌス湖畔の戦い（前二一七年）と続けて敗北した。とくにトラシメヌスの戦いは、執政官（コンスル）以下ローマ兵一万五〇〇〇が戦死、それを上回る数の兵士が捕虜となるという惨敗であった。それでもローマは降伏せず、ただちに新たな軍団を編成した。国民皆兵の戦争国家ならではの対応である。しかし翌二一六年にカンナエの戦いで、七万人が戦死するというローマの歴史を通じて最大の敗北を喫した。

普通の国ならこれで滅亡するところであるが、ローマは持ちこたえた。市民は一丸となって戦争を継続した。こうして戦いは長期戦となり、周辺の諸国、諸都市も巻き込んで展開された。シチリア島のシラクサ市がカルタゴ側に寝返り、物理学者アルキメデスがさまざまの兵器を用いてローマ軍を苦しめた話は有名である。

しかしアルキメデスもローマ兵に殺され、ついに執政官スキピオがアフリカへ攻め込んで、前二〇二年、ザマの戦いで宿敵のハンニバルに勝利した。何度も敗者復活戦を挑むことができたローマとは異なり、カルタゴはこの一度の敗北で死命を制せられ、無条件降伏するしかなかった。同じく共和政という政体をとりつつも、軍事国家と商業国家という違いが現れているようである。

ローマ軍制の危機とティベリウス・グラックスの改革

ポエニ戦争はじめ一連の征服戦争を通じて、ローマは広大な海外領土と多数の奴隷を手に入れた。ところが皮肉なことに、拡大が危機をもたらすことになる。危機は軍事国家ローマの要であった市民軍団の変質・解体というかたちで現われた。市民はふだん農業に従事し、いざという時には武装して従軍することになっていたが、共和政後期になると遠征先は次第に遠方になり、出征期間も長期に及ぶようになった。そのため農地の経営が難しくなってきた。しかもシチリアなどの海外領土では、戦争によって獲得した奴隷を使って、大規模な奴隷制農場（ラティフンディウム）が展開されるようになった。奴隷制大農場で生産される安価な穀物が流入すると、市民の農業経営はさらに圧迫され、土地を手放す者も現われた。武装自弁が原則であるローマ市民軍団でありながら、充分な装備を整えられない市民、そもそも従軍できない市民が増えてきたのである。

第三回ポエニ戦争（前一四九～一四六年）で最終的にカルタゴを滅ぼした頃、ローマ軍の弱体化は深刻な問題となりつつあった。カルタゴを滅ぼした小スキピオ――ハンニバルを破ったスキピオの長男の養子――は、炎に包まれるカルタゴの街を見つめながら、いつかローマもこのように滅びゆくのだろうと涙したという。危機を感じていたのかもしれない。事実、続いてローマ軍はスペイン東北部のケルト人と戦ったが、思わぬ苦戦となった。ようやく前一三四年に、第三回ポエニ戦争のあと軍務を離れていた小スキピオが再度執政官となって、激戦の末、翌年ケルトの要塞ヌマンティアを占領することで決着がついた。

この戦争にティベリウス・グラックスという名門貴族の青年——母はスキピオの娘であり、姉は小スキピオに嫁いでいた——が従軍していた。ヌマンティアへ赴く途中、イタリアの農村部を通ったティベリウスは、その荒廃ぶりに驚かざるをえなかった。ローマ軍の中核を構成していた健全な農民の姿はなく、目につくのは外国人の奴隷ばかりである。苦戦の原因がそこにあると気づいたティベリウスは、戦後まもなく大胆な改革に着手する。

前一三三年、ティベリウスは、平民の権利を守るための役職である護民官に立候補し、スキピオに連なる名門とあってすんなり当選した。護民官となるや、彼はただちに改革案を提出した。彼の改革は復古というかたちをとった。共和政の前期、平民の権利の拡大がはかられていた時代に制定されたリキニウス＝セクスティウス法（前三六七年）を厳格に施行しようとしたのである。同法は、執政官二名のうち一名は平民から出すことに加えて、公有地（征服地などローマ国家の土地）を私的に利用することに制限を加えていた。個人による公有地の占有面積は五〇〇ユゲラ（約一二五ヘクタール）を上限とするという規定であった。しかし征服の進展とともに公有地が増大すると、この規定は次第に空文化し、有力者は広い土地を手に入れて大きな収益を得るようになった。「res publica 万人のもの」であるはずの国有地が、少数の有力者によって私物化されていたのである。

ティベリウスは、元老院議員などが不法に占有している土地を没収して、貧しい市民に分配しようとした。当然、既得権を持つ有力者から強い抵抗があった。それを打ち砕いたのはティベリウスの弁舌であった。邪悪なことですら美しく飾り立てるほど雄弁だったので、正しい立派なことを説いたなら、誰も反対できなかったと伝えられている。彼は市民の窮状を訴え、改革の必要性を説いた。

> イタリアの野に草を食む野獣でさえ、洞穴を持ち、それぞれに自分の寝ぐらとしているのに、イタリアのために戦い、そして斃(たお)れる人たちには、空気と光のほか何も与えられない。彼らは、家もなく落ち着く先もなく、妻や子供を連れてさまよっている。……彼らは、他人の贅沢と富のために戦って斃れ、世界の支配者と謳(うた)われながら、自分自身のものとしては土塊(つちくれ)だに持っていないのだ。（『プルタルコス英雄伝』「ティベリウス・グラックス伝」九章）

反対派はティベリウスの同僚の護民官を抱き込んで、改革法案に拒否権を行使させようとした。ティベリウスは、反対する護民官を罷免する法案を民会に提案し、可決させた。護民官の地位は法によって保護されており、罷免は違法である、と非難されるとティベリウスは反論した。

> 護民官が神聖不可侵なのは、民衆に身を捧げて民衆を守る先頭に立つからである。……カピトルの神殿を破壊し、造船所を焼いたとしても、それはただ悪い護民官に過ぎない。だが、もしも民衆の力を奪おうとすれば、それはもう護民官ではない。（同一五章）

みごとな演説に反対派も沈黙せざるをえなかった。アテネと同様に、ローマにおいても弁論が民主政治のもっとも強力な武器であったことが窺える。

改革を進めるためにティベリウスは、翌年も続けて護民官職に立候補した。これもまた伝統に反する行為であった。ティベリウスの独裁化を恐れた元老院保守派は、力ずくで抑え込もうとする。民会の開催へ向けてカピトルの丘にやって来たティベリウスに、武装した従者を差し向けたのである。ティベリウスを守ろうとした人々は蹴散らされ、ティベリウス自身も殴り殺されて、死体はテヴェレ川に投げ捨てられた。こうして改革はいったん挫折した。

ガイウス・グラックスの悲劇

ティベリウスは虐殺されたが、貧しい市民に土地を割り当てるという改革はほどなく再開される。ティベリウスにはガイウスという名の九歳年下の弟がいた。土地配分法案が成立したあと、ティベリウスはそれを実施するための三人委員会を設置し、弟のガイウスを委員に任命したが、弟は当時まだ二〇歳であり、戦地にいたこともあって名前だけの委員だったらしい。兄が殺されたあと、ガイウスは官職には就かず平穏な生活を送っていた。

ところが、兄の非業(ひごう)の死から九年の歳月が流れたある夜、殺された時の兄と同じ歳になっていたガイウスの夢に兄ティベリウスが現れた。

ガイウスよ。一体なにをいつまでためらっているのだ。逃げみちはない。民衆のために政治をするわれわれ二人には、ただひとつの生き方、ただひとつの死に方が運命によって決められているのだ。(『プルタルコス英雄伝』「ガイウス・グラックス伝」一章)

兄の志を継ぐべく、ガイウスも護民官に立候補しようとする。しかし母のコルネリアが強く引きとめた。彼女には一二人の子供がいたが、ティベリウスも含めて一〇人の子供に先立たれていた。母は切々と訴える。

どうしてもというなら、せめて私が死んだあとで護民官職を求めてください。私が何も感じなくなったとき、どうぞ何なりと好きなことをしてください。(コルネリウス・ネポス『断片』「コルネリアの手紙」)

母の手紙はガイウスの胸を打った。しかし彼は兄の道を進むことにした。前一二三年、護民官となって改革を再開したのである。彼が兄を偲んで声涙(せいるい)ともに下る演説をすると、民衆はティベリウスの無念を思い起こした。

ガイウスの改革は、土地分配の他にもさまざまの方面に及んでおり、元老院の保守派に対抗するため広汎な支持を集めようとしたものと思われる。その甲斐あって、再選を果たせず斃れた兄とは異なり、ガイウスは一二二年に護民官に再選された。しかし多方面にわたる改革は必ずしもうまくゆかず、三選をめざしたが落選した。保守派と改革派の対立が激しくなり、双方が武装をして一触即発の状態となったにもかかわらず、ガイウスは武装を拒み、小さな剣を帯びただけで集会に出かけようとした。妻は彼を引きとめようと、片手に子供を抱いてすがりついた。

今はあなたを護民官として演壇に送り出すのではありません。……あなたはティベリウス様を殺した人たちの前に御自分を投げ出しにお行きになるのです。人に危害を加えるより自分が耐え忍べばと、武器をお持ちにならないのは御立派です。でも、命をお落としになられたとしても、少しもお国のためにはなりません。（『プルタルコス英雄伝』「ガイウス・グラックス伝」一五章）

ガイウスはそっと妻の手を離すと、無言のまま出て行った。元老院派の襲撃を受け、追い詰められたガイウスは自害する。ガイウスの首を持参した者には、それと同じ重さの黄金を与えるとの布告が出さ

グラックス兄弟と母コルネリア

れていたので、首を手に入れた男は、脳髄を抜きとり鉛を詰めて持参したという。こうしてグラックス兄弟の改革は二幕の悲劇に終わった。残された母コルネリアは、訪れる人に息子たちの思い出を淡々と語ったと、兄弟の伝記は結ばれている。

歴史のなかのグラックス兄弟

ここまで逸話も交えながらグラックス兄弟の改革について述べてきた。兄弟の物語はうるわしくも哀しい。貧しい市民に対するティベリウスの同情、兄の志を継いで奮闘する弟ガイウス、母コルネリアの哀しみ……。しかし歴史的に見た場合、兄弟の改革、その挫折とは何だったのだろうか。

ローマ国家の発展・拡大は軍事力に支えられていた。そしてローマ軍の強みは、土地を所有し農業に従事している市民が、召集に応じてみずからの費用で装備を整え、出陣するという軍制にあった。多数の兵士を動員しても軍事費は少なくて済み、かつ「res publica 万人のもの」である祖国のために戦うから士気も高かったのである。

しかし、領土の拡大、遠征の長期化とともに、農業経営と軍務は両立しえなくなり、さらには奴隷制大農場で生産される安価な穀物の流入もあって、困窮した市民は土地を手放すようになった。当然、市民の義務である軍役を充分に果たせなくなる。また貧富の差の拡大とともに、市民としての一体感、愛国心も薄れてゆく。ティベリウスに言わせれば「他人の贅沢と富のために戦う」空しさである。こうして、無敵を誇ってきたローマ軍がしばしば苦戦を余儀なくされるようになった。

市民軍の弱体化に伴う危機をグラックス兄弟は、市民に土地を分配することで克服しようとした。みずからの農地を経営し、有事には召集に応じて従軍する市民を復活させようとしたのである。多くの場合、征服地への入植というかたちで行なわれる市民への土地配分は、最初の征服戦争であったウェイー戦争（前四〇六／五～三九六年）以来、繰り返し行なわれてきた。兄弟もまたこの方法で、困窮して土地を手放した市民を土地所有兵士に戻し、市民軍団という古来の軍制をよみがえらせようとした。しかし都市国家時代の制度をそのまま事実上の世界帝国に適用するのは無理であった。改革の失敗、兄弟の悲劇は、なによりも歴史の流れに逆らったことにあったといえよう。

グラックス兄弟の改革は、歴史の流れに逆行するだけではなく、矛盾や限界ももっていた。祖国のために戦い、そして斃れる者が空気と光のほか何ももたない。ティベリウスは貧しい市民に同情し、有力者が私物化している公有地を没収して市民に分配しようとした。しかし土地の分配は何のために行なわれるのか？何度も述べたように、軍役を果たせる市民を創出し、ローマ軍団を再建するためである。何のために軍団を強化するのか？　言うまでもなく、征服戦争に勝利するためである。何のために征服するのか？　領土・奴隷を手に入れるためである。ここに大きな矛盾があった。そもそも市民が没落したのは征服戦争の結果であった。長期の従軍、奴隷制大農場の発展によって、農業経営に行き詰まり、土地を手放してしまったのである。貧しい市民を救う改革が、貧困化、没落の原因でもあるという矛盾……、軍事国家の非情な論理と言うべきであろう。

兄弟の熱意、改革には限界もあった。確かに、ティベリウスの目にはローマ市民の悲惨な姿が映っていた。改革によって市民軍団が強化されれば、さらなる征服が可能となるという見通しももっていた。しかし彼の視線はそこに留まった。軍事国家の非情な論理が理解できなかっただけではなく、ローマ軍によって土地を奪われ、家族も失って奴隷となる人々の姿も彼の目には入らなかった。ローマ国家の指導者という立場、また時代の制約を考えれば、やむを得ないことであっただろう。

しかし時間と空間を遠く隔てた私たちには、当事者には見えなかったものが見えるはずである。歴史を学ぶとはそういうことでなければならない。ひとりひとりの善意や努力を越えた、止めようもない歴史の流れ、その非情な論理も、もとはと言えば人間が生み出したものであり、人間の力で克服できるはずである。グラックス兄弟の悲劇をロマンに終わらせないために、時代の制約、限界を越えるために、私たちは歴史を学ばなければならない。

「新人」マリウスの軍制改革

グラックス兄弟の改革が失敗したあと、新たな土地法が制定され、有力者が不法に占有してきた公有地は彼らの私有地と認定された。改革に伴う混乱は収まったが、ローマ軍の危機は続いた。前一一二年、北西アフリカの保護国ヌミディアでイタリア人虐殺事件が生じたのをきっかけに、ローマはヌミディア王国に宣戦を布告した。当時のヌミディア王の名をとってユグルタ戦争（前一一一～一〇五年）と呼ばれている。苦戦を強いられ、泥沼化しつつあったこの戦争を終結させ、凱旋式を挙行したのはマリウスという「新人」――祖先に高級政務官を持たない人物――である。彼の成功は、グラックス兄弟とは異なる方式で軍制改革を行ない、新たな軍団を編成したことにあった。

マリウスが行なった軍制改革は現実に即したものであった。過去に理想を求めて挫折を余儀なくされたグラックス兄弟とは異なり、マリウスは歴史の流れに掉(さお)さしていたといえよう。ユグルタ戦争を記したある歴史書は、マリウスの徴兵を「兵役を望む者は誰でも受け入れ、その大部分は『頭数で評価される者』であった」と述べている。市民の経済的困窮に起因する慢性的な兵士不足を解消するため、マリウスは、土地を持たない市民、いわゆる無産市民（プロレタリウス）を軍に入れ、自分の費用で武器・装備を支給し、訓練を施したのである。従来の市民兵から職業軍人への転換、徴兵制から志願兵制への大転換であった。戦争に勝利したあと、マリウスは軍団を解散し、退役兵にヌミディア王国から奪った土地を分配した。

マリウスの改革によって戦争国家ローマの軍制の基本が、市民と土地の関係という点で百八十度変わった。これまでは土地を所有する市民が軍役に就いていた。今後は軍役を果たすことで市民が土地を獲得する。のちには市民権を持たない人々もローマ軍団に入れられ、退役する時に土地と市民権が与えられるようになる。

マリウスの軍制改革で誕生した新たな軍団はローマ軍には違いないが、同時に将軍個人の軍隊という性格をもった。兵士たちは将軍の私兵として戦い、恩賞として土地を分配される。マリウスの改革は、かつての市民軍団に劣らぬ戦闘意欲の高い軍団を創設するとともに、ローマ国家の性格そのものも変えることとなった。将軍の私兵は戦場においてのみならず、共和政という政体のもと主権者である市民として、政治の舞台でも大きな役割を果たした。自分たちの将軍が政治の主導権を握れば、土地や戦利品の分配も有利になるので、彼らは公職選挙や民会においても将軍のために尽くした。将軍たちが国政においてもつ力は強大となり、元老院・民会を軸とする共和政は危機に陥った。

マリウス以降、有力な将軍が次々と現われた。ローマ史を飾るスラ、ポンペイウス、クラッスス、カエサル、アントニウス、オクタウィアヌスなどである。彼らはいずれが覇者となるのかをめぐって激しく争った。共和政時代の最後の百年間が「内乱の一世紀」となった理由である。

「内乱の一世紀」はローマの領土が大きく広がった時代でもあった。普通の国なら内乱が続けば、外敵の侵入を招き、滅亡するのであるが、ローマでは内乱と並行して領土の拡大がみられた。覇権争いに勝つためには、強力な軍団に加えて、一般市民の支持が必要だったので、将軍たちは競って征服戦争を展開した。勝利して凱旋すること、戦利品を配ることで、名声と支持を得ようとしたのである。こうして内乱と征服が同時に進行することになった。戦争国家ならではの現象である。

独裁官カエサルの栄光と挫折

マリウスの軍制改革の申し子と言えるのがカエサルである。若い頃から軍人として活躍したカエサルは、ヘレニズム国家のひとつシリア王国を征服したポンペイウス、スパルタクスの奴隷反乱を鎮圧したクラッススと結んで第一回三頭政治を実現し（前六〇年）、前五九年執政官（コンスル）となった。一年の任期が終わると、前執政官（プロコンスル）として軍団指揮権を与えられ、ガリア征服に向かった。ポンペイウス、クラッススに劣らぬ戦功を挙げることで、覇権争いに名乗り出ようとしたのである。

カエサルが率いた軍団はまさに彼の私兵であった。指揮官と兵士は深い信頼関係で結ばれており、ガリアの戦場でもカエサルのために命を惜しまず戦う将兵の姿がみられた。カエサル自身があらゆる危険に身をさらし、如何なる辛苦にも耐えたから、配下の兵士も勇敢に戦ったのだと伝えられている。加えて、戦争で得られた富を独占せず、軍功のあった兵士に気前よく与えたことも、将兵の信望を集めることになった。カエサルの軍団は長期の苦しい戦いに耐え抜き、ケルトの諸部族を率いて英雄的な抵抗を続けたウェルキンゲトリクスを破って、ガリア征服を成し遂げた。

苦労をともにし、成果を分かち合った者のあいだに生まれた連帯感は、カエサルの独裁に道を開いた。ガリアを征服したカエサルは壮麗な凱旋式を計画する一方で、もう一度執政官になろうとした。将軍としての実績をアピールするとともに、政治の実権を握ろうとしたのである。しかし執政官に立候補するためには軍団の指揮権を放棄しなければならなかった。カエサルは特例措置を願い出たが、独裁者の出現を恐れる元老院はポンペイウスと結び、非常事態宣言を出した。カエサルは国家の敵と宣言された。

カエサルの反応は素早かった。なおガリアにいた主力軍の到着を待つことなく、手元の軍団のみでローマへ向かうことにした。決起に先立ってカエサルは兵士たち向かって演説をした。

諸君は私を最高司令官と仰いで九年、多くの戦争で勝利を収め、国家に栄光をもたらし、ガリアとゲルマニアを征服した。今こそ、私の名声と威信を守ってほしい。（カエサル『内乱記』第一巻七）

兵士たちは応(こた)える。「我々の最高司令官が蒙(こうむ)った不当な仕打ちに復讐する覚悟である」。ここには将軍と兵士のあいだの強い結びつき、祖国に弓を引くことになっても、将軍のために身を捧げる将兵の姿がみえる。

前四九年一月一〇日夜、軍団は属州とイタリアの境であるルビコン川に到着した。武装したままイタリア本国に入ることは違法行為である。カエサルは迷った。しかしそれもひと時のことであった。迷いを断ち切るかのように「賽(さい)は投げられた」と叫ぶとルビコン川を渡った。内乱の開始である。

内乱はカエサルの勝利に終わった。ポンペイウスを追ってエジプトまで進撃し、前四八年一〇月にはクレオパトラとも会っている。カエサルに届けられた絨毯(じゅうたん)を広げると、絶世の美女クレオパトラが現われたという有名な逸話である。クレオパトラに魅了されてしばらくエジプトに滞在したが、新たな敵に向かうべく出陣し、地中海世界の各地で戦い続けて、ようやく前四六年、ローマで念願の凱旋式を挙行した。式典を飾っ

イスラームの国家形成
——部族社会から世界帝国へ

　メソポタミアに最初の都市国家が成立してから、アケメネス朝ペルシア帝国がオリエント世界を統一するまで三〇〇〇年近い年月がかかっている。都市国家ローマが地中海世界を統合する世界帝国になるのにも、七〇〇年の歴史が必要であった。それに比べて、イスラームの世界帝国はきわめて短期間に形成された。アラビア半島において部族組織のもとで生活を営んでいた人々が、わずか数十年で大帝国を形成したのである。なぜそのようなことが可能となったのであろうか。

　しばしば指摘されるのが、アラブ人のイスラーム信仰と軍事力である。イスラームは「コーランか剣か？」を掲げて短期間で支配を拡大したといわれる。加えて、ササン朝ペルシア帝国とビザンツ帝国が、イスラームの登場直前まで、交互に相手の都にまで攻めこむという、存亡をかけた戦争で疲弊していたことも征服を容易にした。

　しかし軍事力による征服が世界帝国と呼べるような安定した支配となるには、徴税や裁判など整った統治機構を確立する必要がある。アラブ人は統治のモデルをササン朝やビザンツ帝国に見出した。アレクサンドロス大王がペルシア王の後継者となろうとしたように、既存の帝国をかたちを変えて継承したのである。それによって、「コーランか剣か」に加えて、人頭税を払ってイスラーム支配に服する第三の道を被征服民に提示することができた。

　アレクサンドロスの帝国は大王の早世（そうせい）によってあっけなく解体したが、イスラーム信仰で団結するアラブ人はムハンマドの死後も、カリフという政教一致の指導者のもと征服を継続し、世界帝国を樹立した。

（参考文献）小杉泰『イスラーム帝国のジハード』講談社、二〇〇六年たのは、ケルトの族長ウェルキンゲトリクスであった。ガリアの諸部族を糾合してカエサルに抵抗したが、敗れて捕虜となって六年、この日のために生かされていた。凱旋式が終わると、用済みとなったウェルキンゲトリクスは処刑された。ローマに征服された人々の悲劇を象徴するものであろう。

この間、カエサルは非常時の特別職である独裁官に就任し、ついに前四四年には「終身の独裁官」となった。私兵を抱える有力な将軍のあいだでの覇権争い、「内乱の一世紀」は、こうしてただひとりの人物に権力を集中することで終わろうとしていた。しかしカエサルは皇帝になれなかった。終身の独裁官と名乗ってわずか一カ月、共和政の伝統を守ろうとする人々に襲われ、「ブルートゥス、お前もか！」という断末魔の言葉を残して息絶えた。

カエサルがほぼ手中に収めていた単独支配者の地位を継ぐべく再開された内乱において、カエサルの養子オクタウィアヌスは、政敵アントニウスを破った。アントニウスと結んだクレオパトラは自殺に追い込まれ、エジプト王国も滅びて、ローマによる地中海世界の統一が完成する。オクタウィアヌスは前二七年に「アウグストゥス」の称号を得て、帝政を開始する。こうしてローマは名実ともに世界帝国となった。

二、ローマ帝国の支配体制――ユダヤ州の場合

「ローマの平和」と愚帝・暴君

ローマはその長い歴史のなかで国家のかたちを変化させた。小さな都市国家から広大な地域を支配する世界帝国へ、王政から共和政を経て帝政へ、民主政治から皇帝独裁政治へと変容したのである。前節では建国

から始めて、共和政時代の歴史を概観した。第二節では、世界帝国となったローマの支配体制について学ぶことにする。

内戦に勝利したオクタウィアヌスは単独の支配者となった。彼は多くの官職を一身に帯び、前二七年一月にアウグストゥスという名誉称号を受けた。ここにローマは、元老院や民会が権限をもつ共和政から、ひとりの人物に権力を集中させる帝政へと政体を変化させた。ただし成立時のローマ帝国は、すでにみたビザンツ帝国やペルシア帝国のような専制国家ではなかった。アウグストゥス自身、共和政の伝統を尊重して「プリンケプス（元老院首席）」と称していたので、その政体を帝政ではなく元首政（プリンキパトゥス）と呼ぶこともある。この間の事情を本人は次のように述べている。

私は内乱を終結し、万人の合意のもと全権を掌握していたが、国政を元老院およびローマ国民の裁定に委ねた。この功績によって私は元老院決議で「アウグストゥス」と呼ばれることになった。……これ以降、私は権威において万人にまさることがあっても、権力に関しては、ともに公職にある同僚たち以上のものを保持することはなかった。（『神君アウグストゥス業績録』三四節）

初代皇帝「神君」アウグストゥス（在位前二七～後一四年）以降、ローマは「パクス・ローマーナ（ローマの平和）」と呼ばれる、ほぼ二〇〇年にわたる繁栄の時代を迎える。ところが意外なことに、アウグストゥス以降の皇帝は、一世紀末のドミティアヌス（在位八一～九六年）に至るまで暴君・愚帝の連続である。

第三代皇帝カリグラ（在位三七～四一年）は即位後まもなく大病を患った。彼は軍隊や民衆のあいだで人気があり、「陛下の命が助かったら、私の命を捧げます」と神に誓った者もいた。奇蹟的に病が癒えたカリグラは、自分の回復を祈ってくれた男を呼び出して、誓いを果たすよう命じた。このあと、みずからの神格化、妹たちとの近親相姦、臣下の財産没収と、カリグラの乱行はますますひどくなり、在位四年で殺されてしまう。元老院はカリグラに「記憶の抹消」を適用しようとした。その人物に関する記録・遺物をすべて破棄し、そんな皇帝は存在しなかったことにするという、ローマ国家独特の制度である。

続く第四代クラウディウス（在位四一～五四年）は愚か者と言われ続けていた。母でさえ、愚かな人物と出会うと「私の息子より馬鹿ね」と笑ったという。妻にも馬鹿にされ不倫された挙句、危うく殺されそうになった。夫殺害計画が発覚して悪妻が処刑になると、性懲(しょうこ)りもなくクラウディウスは再婚した。相手は実の姪で、やはり再婚のアグリッピナ、ネロ（在位五四～六八年）の母である。息子ネロを皇帝にするため、色仕掛けで違法の近親結婚をはかるアグリッピナに、クラウディウスはひとたまりもなく参ってしまった。

アグリッピナは夫クラウディウスを殺して息子ネロを帝位に就けた。即位したネロは、帝位を守るためにクラウディウスの息子を殺し、さらには母アグリッピナさえも殺した。キリスト教徒を迫害したこともあって、悪しき君主の代表として暴君と呼ばれるのが常である。さらに一世紀末のドミティアヌスも猜疑心が強く、有力な元老院議員を片っ端から投獄・処刑した。そのなかにはキリスト教徒もいたため、「第二のネロ」と言われている。九六年に殺されると、元老院の満場一致で「記憶の抹消」となった。

二〇〇年にわたる「ローマの平和」の前半は暴君・愚帝の連続である。しかしそのような皇帝たちのもとでも帝国は空前の繁栄を謳歌(おうか)していた。皇帝個人の性格や資質がどうであれ、きちんと機能する支配体制が確立していたからであろう。ではローマ帝国は広大な領土をどのように統治していたのであろうか。ユダヤ州を例にとって具体的にみてゆこう。

ヘロデ大王――ユダヤの歴史

ローマのユダヤ支配について述べる前に、ユダヤの歴史を少し遡ってみておきたい。前五八七年、ユダ王国が新バビロニア王国によって滅ぼされ、多数のユダヤ人がバビロンに連行された。「バビロン捕囚」と呼ばれる事件である。半世紀ほどのちペルシアが新バビロニアを滅ぼし、ようやくユダヤ人は捕囚から解放された。しかしその後も、ペルシア帝国、続いてアレクサンドロスとそれに続くヘレニズム諸王国（プトレマイオス朝エジプト王国、セレウコス朝シリア王国）と、他民族による支配が続いた。

ようやく前二世紀、ローマの進出に伴ってシリア王国が苦境に陥ったのに乗じて、ユダヤ人は独立を達成する。独立戦争は、指導者であったハスモン家のユダのあだ名「槌（マカバイ）」にちなんでマカベア戦争と呼ばれている。前一六七年頃に始まったマカベア戦争は、前一四〇年にユダの兄シモンが「大祭司・民族支配者・ユダヤ軍最高司令官」と称するユダヤ王となったことで終結した。ハスモン朝ユダヤ王国の成立である。

しかしハスモン朝もまたローマの圧力に屈してゆく。前六四年、ローマの将軍ポンペイウスはシリア王国を滅ぼし、翌年にはエルサレムも占領した。その結果、ハスモン朝の王は名目的な存在となり、ユダヤ王国は事実上ローマの属国となった。このような状況を利用して成り上がったのがヘロデ大王（在位前三七～前四年）である。ヘロデはカエサルに取り立てられて頭角を現し、カエサルが暗殺されたあとも、転変するローマの政界を巧みに渡り歩いて、ハスモン朝に代わってユダヤ王となった。

ヘロデ大王はエルサレム神殿の増改築を行なう一方、ユダヤの各地に都市を建設した。もっとも有名なのは地中海岸のカエサリア市であろう。このあとユダヤ州の都となる町である。カエサリアはローマ風の都市

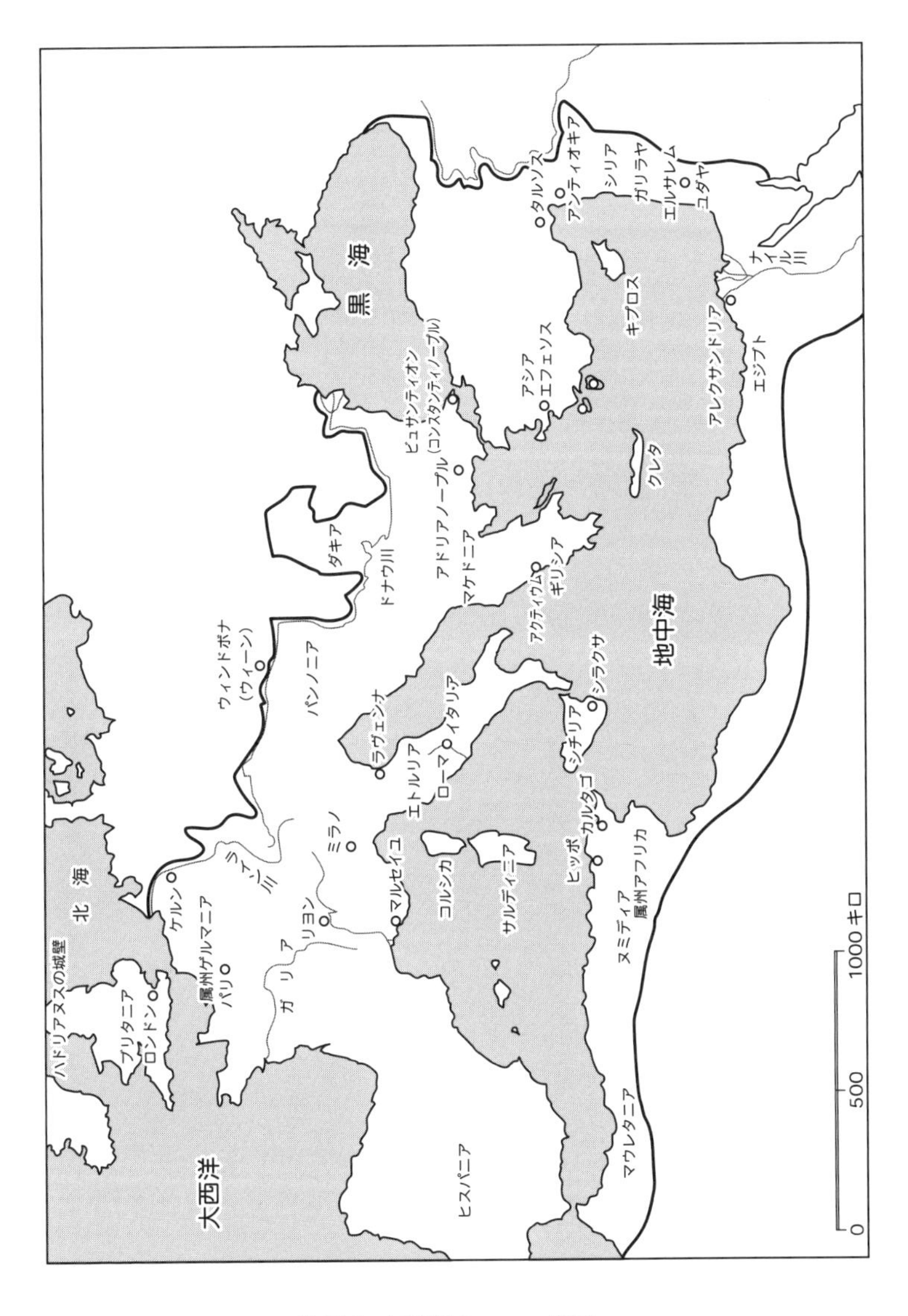

地図６　最盛期のローマ帝国
（参考文献、『ヨーロッパの成立と発展』より作成）

で、「カエサルの町」という名前からもわかるように、ヘロデ大王の親ローマ政策を象徴している。征服地の要衝に都市を建設し、ローマ市民とくに兵士を入植させて、支配の拠点とするのがローマの統治方法であり、それにヘロデはみずからのユダヤ支配を巧みに重ねた。

王国の支配を安定・強化するために、ヘロデは神殿に配慮したり、ローマの支持を取り付けたりするだけではなく、残忍な虐殺も繰り返した。新約聖書『マタイ福音書』二章は、自分の地位を脅かすであろう救世主（メシア）――将来のユダヤ王――の誕生を告げられたヘロデがその赤子を殺そうとしたこと、それを知ったヨセフとマリアが幼子イエスを連れてエジプトに避難したことを伝えている。真偽のほどは定かではないが、ローマの傀儡（かいらい）であるヘロデ大王の不安定な立場を示唆する逸話である。

前四年にヘロデが死ぬと、王国はアルケラオス以下三人の息子のあいだで分割され、ユダヤ王の称号はローマが留保した。ヘロデ一族を通じてユダヤ支配を進めてきたローマは、西暦六年に至って政策を変更して、エルサレムを含む中心部を支配していたアルケラオスを追放し、パレスティナの主要地域を直轄領としてユダヤ総督の支配下においた。ただし、イエスの故郷である辺境のガリラヤ地方などは、引き続きヘロデの息子たちに任せ、間接的な支配にとどめた。このように、地域や都市の実情に応じてローマの統治方法は異なっていた。ユダヤ州の場合を、イエスやペテロ、パウロの裁判を例にとって考察することにしたい。

イエスの処刑

新約聖書の四福音書（マタイ、マルコ、ルカ、ヨハネ）は、キリスト教の教えを説く宗教書であると同時に、イエスの生涯を伝える伝記でもある。そこにはイエスの裁判と処刑が詳しく記されており、ローマ帝国のユダヤ統治の一端を窺うことができる。まずは、福音書のなかでもっとも古く、イエスの実像をかなり正確に伝えていると思われる『マルコ福音書』と、イエスの処刑について詳しい情報をもっていた『ヨハネ福音書』に拠りつつ、逮捕から処刑に至る経過をみておこう。

故郷のガリラヤ地方で活動していたイエスは、紀元三〇年頃エルサレムに上ってきた。人々は救世主（きゅうせいしゅ）あるいは王を迎えるかのようにイエスを歓迎した。エルサレムに着いたイエスは神殿を訪れ、「祈りの家」であるはずの神殿が「強盗の巣」になっていると非難した。大祭司をはじめとするユダヤ教指導部はイエスを捕えようとしたが、彼のまわりには民衆が群がっており、騒動になるのを恐れて手が出せなかった。そこで十二使徒（イエスの弟子）のひとりイスカリオテのユダを買収し、イエス逮捕の手引きをさせることにした。

イエスの逮捕は、エルサレムに駐屯するローマ軍の司令官である千人隊長（千卒長）――カイサリア駐在のユダヤ総督の部下――が、配下の兵士やユダヤ人の下役を使って行なった。逮捕されたイエスは、ユダヤの自治組織である最高法院（サンヘドリン）（議会・裁判所）において裁かれた。自分は救世主であるというイエスの発言は、神を冒涜（ぼうとく）するものとみなされ、大祭司以下の全員一致で死刑という判決が下された。しかし当時のユダヤ州では、死刑の執行はローマ当局の権限だったので、最高法院はイエスをユダヤ総督のピラトに引き渡した。総督による再尋問では、証人として出廷した祭司長たちがイエスの罪状を列挙し、ピラト自身も「お前はユダヤの王なのか」と質（ただ）したが、イエスは曖昧な答しかしなかった。

いったんイエスは無罪だと判断したピラトも、ユダヤ人たちが「十字架につけろ」と騒ぎ立てたので処刑を決断した。『ヨハネ福音書』によると、イエスを釈放しようとするピラトに向かって、ユダヤ人たちは次のように言ったという。「もしこの男を釈放するなら、あなたは皇帝の友ではない。王と自称する者は皆、皇帝に背いている。」この言葉がピラトの決断を促した。ユダヤ教の指導部のみならず、ローマのユダヤ総督も住民の反ローマ暴動を恐れていたことがわかる。

刑を執行したのは、総督の部下である百人隊長（百卒長）であった。イエスが磔になった杭には罪状を記した札が添えられ、「ユダヤ人の王」と記されていた。処刑の公式の理由が、ローマからの独立を謀ったこと、騒乱罪だったことを伝えている。なお、この罪状札はヘブライ語・ラテン語・ギリシア語で書かれていた。多くの民族が混在する世界帝国の言語環境を語るものである。

以上の経過は福音書によるものであるが、ローマの歴史家タキトゥスの『年代記』にも、ネロ皇帝のキリスト教徒迫害に関して次のような一節がある。

（ネロが迫害したのは）日頃から忌まわしい行為で世人から恨み憎まれ、「クリストゥス信奉者」と呼ばれていた者たちである。この一派の呼び名のもととなったクリストゥスなる者は、ティベリウス（第二代ローマ皇帝、在位一四〜三七年）の治世下に、元首属吏ポンティウス・ピラトゥス（ピラト）によって処刑されていた。（一五巻四四章）

信じがたい奇蹟物語を多数伝える福音書ではあるが、イエスがユダヤ総督ピラトによって処刑されたことは、ローマ側の記録でも確認できる歴史的事実である。この事実を手がかりにローマのユダヤ支配について考えてみよう。

皇帝のもの、神のもの――「税金問答」

福音書によると、ピラトはイエスを釈放しようとしたが、ユダヤ人が処刑を強く要求したという。その一方で、磔刑は、スパルタクスの奴隷反乱の際にも行なわれたように、ローマ独特の処刑方法である。ふたつの事実のどちらを重視するのか、処刑の責任はユダヤ人、ローマ人のいずれにあるのかが長く議論されてきた。イエス処刑責任論は、ローマ帝国のユダヤ支配を明らかにする鍵でもある。ここではいわゆる「税金問答」を手がかりに処刑責任論を再検討する。

エルサレムに上ってきたイエスを熱狂的に迎える民衆の姿に危機感をもったユダヤ教の指導者たちは、イエスを捕える口実を求めて、さまざまの議論を吹きかけた。各福音書には一連の問答が記されている。そのひとつが「ローマ皇帝に税金を納めるのは、律法に適っているか？納税すべきか、すべきではないか？」という問いかけであった。これが「税金問答」である。

ローマ帝国はユダヤ中心部を直轄領とした直後に戸口調査（住民登録）を行ない、それに基づいて人頭税をかけていた。このような課税に対してユダヤ人のあいだでは見解の対立があった。律法の厳守を唱えるパリサイ派、なかでも反ローマを鮮明に掲げる熱心党は、我々ユダヤ人は神のみに服するのであって、異邦人に税を支払うべきではないと主張した。他方、ヘロデ大王の親ローマ路線を継承する人々——ヘロデ派——は、皇帝への納税を認めていた。『マルコ福音書』によれば、普段は対立するパリサイ派とヘロデ派が一緒になって、納税の是非をイエスに問うたという。

ローマ皇帝への納税は是か非かという問いは、イエスにとってまことに答えにくい質問であった。納税すべきではないと答えれば、反ローマ暴動を唆していると訴えられ、逮捕・処刑されるであろう。納税すべしと言えば、ローマ支配に苦しみ、救世主の到来を待ち望む民衆に見放される。どちらにしてもユダヤ教指導部は、厄介なイエスを除くことができるはずであった。ところがイエスは質問の罠を見抜いて、ローマの通貨であるデナリオン銀貨を持って来させると、皇帝の肖像と銘を示して、「皇帝のものは皇帝に納めよ、神のものは神に」とだけ言った。質問者たちは驚いてそれ以上追及できず、問答は立ち消えになった。

「皇帝のものは皇帝に、神のものは神に」という言葉は、イエスの教えとして語り継がれてきたが、実に不可解な発言である。それだけにさまざまな解釈がなされてきた。近代になると政教分離を説く言葉であると言われるようになり、今日でも通説となっている。しかし、イエスは銀貨を指さして「皇帝のものは皇帝に」と言っており、政教分離といった理念の問題ではなく、生々しい税金の話をしていることは明らかである。

一見すると皇帝への納税を認めているように思えるが――中世にはそう理解されていた――、注意すべきは「神のものは神に」と付け加えていることである。対句であるから、「皇帝のもの」がローマ皇帝への納税を意味するとすれば、こちらは神への納税を指すとしか考えられない。つまり「神のものは神へ」という言葉は、敬虔に神に仕えなさいなどということではなく、神殿税、初穂料など、ローマ当局の了解のもと、ユダヤ教の指導者が徴収していた各種の宗教税についての発言とみなすべきである。

『マタイ福音書』にはイエスが神殿税に懐疑的であったことが記されている。払っていなかったらしい。その点も考慮に入れると、「皇帝のものは皇帝に、神のものは神に」は、イエスの嘆きないし皮肉の言葉と理解すべきであろう。我々はローマ人に納税するだけではなく、ユダヤのお偉方にも奉納金を納めなければならない、なんと辛いことか……。両者をまとめて批判したからこそ、ユダヤの最高法院で裁かれ、ローマの総督によって処刑されたのである。処刑責任論に立ち返るなら、ユダヤ人、ローマ人の双方に責任があるという結論になる。ローマの属州統治についていえば、「税金問答」は、ユダヤ州の統治が現地の有力者と一体となって行なわれたことを語っている。

パウロの裁判

続いて、イエスの筆頭弟子ペテロに対する最高法院での尋問について簡単にみたあと、キリスト教を各地に布教したパウロが、ユダヤ総督によってどのように裁かれたのか検討しよう。ペテロ、パウロの活動については、新約聖書の『使徒行伝（しとぎょうでん）』が詳しく伝えている。

イエスが逮捕された時、ペテロは「そんな人は知らない」と言って連座を免れた。「ペテロの否認」と呼ばれている。しかしイエスの処刑後に活動を再開し、エルサレムの神殿で師の教えを説いていた。復活の教えなどを問題視したユダヤ教当局はペテロを捕え、最高法院で尋問した。尋問を終えたあと議員たちは相談したが、結論が出ないままペテロは釈放された。そのあとも何度か逮捕され投獄もされたが、『使徒行伝』には天使に導かれて獄を抜け出したとあり、処罰は受けなかったようである。

ペテロの逮捕・尋問・投獄はすべてユダヤ教の指導者たちによって行なわれた。ヘロデ・アグリッパ――ヘロデ大王の孫、ローマで育ち、アグリッパというローマ名を名乗っていた――による逮捕・投獄も、『使徒行伝』がヘロデ王と呼んでいるように、ユダヤ総督によるものではなかった。ローマへの納税など生々しい問題に説き及び、死刑に処されたイエスとは異なり、もっぱら教義について論じていたペテロの行動はユダヤ教内部の問題であり、ローマ当局は介入する必要を認めなかったのである。

これに対してパウロの裁判にはユダヤ総督が大きな役割を果たしている。東地中海の各地に布教したパウロは、あちこちで騒動に巻き込まれ、投獄されてもいるが、ここでは最後のエルサレム行きから、逮捕・審問、ローマでの上訴審に至る経過を考察することにしよう。パウロの場合も、死を覚悟してのエルサレム上京から始まり、最高法院、ユダヤ総督によって裁かれるというもので、イエスとよく似た経過をたどっている。ただ、ふたりの身分の違いによって裁判の手続きが異なり、ローマのユダヤ支配の特徴がさらに明らかになる。

エルサレム神殿でパウロをめぐってユダヤ人が騒いだので、駐屯していたローマ軍の千人隊長がその身柄を拘束した。千人隊長は鞭打ちに処そうとしたが、パウロは「私はローマ市民である。ローマ市民権を持つ者を裁判にかけず鞭打ってよいのか」と抗議した。驚いた千人隊長は鞭打ちを中止させ、翌日、最高法院を招集してパウロに弁明の機会を与えた。この間パウロは、千人隊長とはギリシア語で話し、ユダヤ人にはヘブライ語で弁明したという。

ユダヤ人がなおもパウロを非難し、殺害さえ企んだので、千人隊長は事件を上官であるユダヤ総督フェリクスに委ねることとし、身柄をカイサリアへ護送させた。総督はパウロを官邸に拘留し、エルサレムから大祭司たちが到着するのを待って尋問を開始した。大祭司側は、パウロが治安を乱している、神殿を穢(けが)したと告発し、パウロが反論した。フェリクス総督は裁決を下さず、パウロを引き続き拘留しておいた。和解金を取ろうという腹づもりだったらしい。

二年後、新総督フェストゥスが着任した時、パウロはなお未決のまま監禁されていた。フェストゥスはユダヤ人の有力者と相談してパウロの処分を決めようとしたが、パウロはユダヤ人が加わるエルサレムでの裁判を拒否し、「皇帝に上訴する」と表明した。フェストゥスは上訴を認め、「皇帝のもとへ出頭せよ」と裁判をローマの法廷に移した。ユダヤ人でありながらローマ市民権を持っていたパウロは、最高法院のような現地の裁判所に出頭することはあっても、最終的にはローマの司法によって裁かれるのである。

　パウロのローマへの旅は『使徒行伝』二七章一節以下に詳しく記されており、当時の地中海交通に関する貴重な記録である。ところがローマ到着後、どのような裁判を受けたのか、どのような判決が出されたのかは、まったく書かれていない。歴史の空白を埋めるかのように、ネロの迫害によって殉教したといったさまざまの伝説が生まれた。

ユダヤ総督と大祭司――ローマのユダヤ支配

　イエスの処刑やパウロの裁判は、ローマ帝国のユダヤ州統治の実態を伝えている。支配体制の頂点にいたのは、イエスを処刑したピラト、パウロ裁判に当たったフェリクス、フェストゥスなどのユダヤ総督である。ローマから派遣され、数年で交替するのが普通であった。短い任期のうちに財を蓄えようと、賄賂（わいろ）などで私腹を肥やす総督もいた。ヘロデ大王が地中海岸のカエサリアに建てた屋敷がユダヤ州の官邸となり、総督はそこで職務に当たっていた。ユダヤ人を刺激しないよう、神殿の所在地であるエルサレムには必要な時しか立ち入らなかったようである。

　総督の部下として目立つのは軍人（千人隊長・百人隊長）で、行政官はほとんど姿を見せない。総督の個人的な従者はいたが、統治機構と呼べるような組織は存在しなかったようである。ここに見られるように、ローマの属州統治は、軍隊を除けば「小さな政府」であった。それでもしっかり統治できたのは、現地の有力者の協力を得たからである。

　ユダヤ州においてローマ帝国の統治に協力したのは最高法院、すなわちエルサレム神殿におかれたユダヤ人の自治組織である。最高法院を統括していたのは大祭司で、その下に祭司長（高級神官）・長老・律法学者がいた。ハスモン朝時代には王が大祭司を兼任しており、神権政治が行なわれていた。ローマはユダヤ王を廃位したあとも大祭司の職は残し、独自の裁判・徴税を許して、ユダヤ人を統轄させた。イエス、ペテロ、パウロ、いずれの尋問・裁判の場面にも大祭司の姿が見える。

ユダヤ総督以下のローマ当局と大祭司が統括する最高法院の協力関係を、裁判と徴税のそれぞれについて再確認しておこう。

裁判はしばしば現地の組織に委ねられた。すでにみたように、ユダヤ州では最高法院がイエス、ペテロ、パウロを裁いている。裁判にローマ当局が関与したのは、死刑が執行されるような重大な犯罪――騒乱罪のイエス――や、パウロのようなローマ市民権の保有者の場合であった。ユダヤ人の側から総督の法廷に審理を持ち込むこともあったが、その場合でも現地の裁判所に差し戻されることが多かった。コリントス市民によるパウロ告発に対して、アカイア州（ギリシア）の総督が、「不正な行為や悪質な犯罪なら、諸君の訴えを受理するが、教義や律法に関することなら自分たちで解決せよ。私はそんなことの裁判官ではない」（『使徒行伝』一八章）と言ったのは、ローマ帝国の地方支配の特徴をよく表わしている。

最高法院で審理されたのち、ユダヤ総督の法廷に移されることもあり、形式的にはローマ側が上級裁判権を有していたが、実際には双方の裁判機構が協力していたようである。総督の法廷に祭司長たちが出頭したり、総督がユダヤ教指導者に諮問したりしていた。逆に、最高法院の裁判に総督の部下である千人隊長などが出廷することもあった。

「税金問答」からもわかるように、徴税においてもローマ当局と現地の勢力が連携していた。ローマ帝国の歳入はかなりの部分が、属州民からの人頭税・土地税からなっていた。西暦六年にユダヤの中心地域を直轄領としたローマは、ただちに戸口調査（住民登録）を行なっている。いうまでもなく確実に徴税するための措置である。どこまで信頼できるのか疑わしいが『ルカ福音書』二章によれば、この時イエスの一家も登録手続きをしたという。

戸口調査に基づき税が徴収されたが、実務はやはりユダヤ人に委ねられた。福音書にしばしば登場する徴税人（取税人）は、ローマ政府から税金の徴収を任された者である。徴税人は、異邦人の手先となって税金を徴収する、しかも決められた額以上取り立てると、ひどく嫌われた。福音書でも罪人や娼婦と並べられ、唾棄（だき）すべき存在と描かれることが多い。

それぞれユダヤ総督と大祭司を頂点とするローマとユダヤの統治組織は、連携をとりつつ行政・裁判・徴税にあたっていた。両者の共通の目標は「ローマの平和」の維持であった。最高法院がイエスやパウロの活動に神経を尖らせたのは、民衆を暴動に駆り立てかねないからであった。そうなればローマ軍の介入を招き、自治は否定されてしまうであろう。自分たちの特権的地位が失われることをユダヤ教の指導者たちは恐れた。他方、ピラトがイエスの処刑を決断したのも、暴動が生じたなら責任を問われるからである。イエスを十字架刑にした正式の罪状は「ユダヤ王」と名乗ったことであった。ここにも反乱や独立運動は許さないという総督の強い姿勢が窺える。

現地の実情をよく知っている者に裁判や徴税の実務を委ねるのは、ユダヤ州に限ったことではなかった。帝国各地の都市には、地域の名望家によって構成される都市参事会があった。参事会は都市の行政に責任を持ち、徴税も担当した。定まった税額が徴収できなかった場合、参事会員は自腹を切って補填する義務があったが、自治を認められ、さまざまな特権があったので、帝国行政に積極的に協力していた。

ローマ帝国は現地の有力者の協力を得て、二〇〇年にわたる平和を維持していた。これが「ローマの平和」であるが、この時期にあって唯一ローマ支配に対して抗い、大規模な戦争を起こしたのが他ならぬユダヤ人である。西暦六六年、ユダヤ州で大反乱が起こった。

ユダヤ戦争——「ローマの平和」への挑戦

ユダヤ人のあいだにローマの支配に対する不満がなかったわけではない。神の民である我々は異邦人の支配に服すべきではない、税を納めるべきではないと説くパリサイ派には広い支持があり、同派のなかでも強硬な集団はローマからの独立をめざした。西暦六年、ローマによる住民登録、直接課税に対して反乱を起こしたのはそのような人々で、のちに熱心党と呼ばれるようになる。

しかし多くのユダヤ人は、少々不満があってもおとなしくローマの支配に服していた。私腹を肥やしたり、ユダヤ教を冒涜するような総督もいたが、短期間で交代するし、自分たちの世界に土足で踏み込むような存在ではなかったからである。親ローマ路線をとる最高法院の指導者たちが民衆を宥めていたこともあった。そしてなによりも、エルサレムをはじめ主要都市に駐屯するローマ軍団の存在が、ユダヤ人の反抗を未然に防いでいた。事実、直接課税をきっかけに生じた反乱も簡単に鎮圧されている。

しかし、ローマ側の対応に不手際が重なると、ユダヤ教という信仰をもつユダヤ人は、ローマ支配に全面的に抵抗することとなった。ユダヤ戦争のきっかけは「暴君」ネロである。カイサリアの町でユダヤ人とギリシア系住民の争いが生じ、ユダヤ総督のもとに事件が持ち込まれた。総督は皇帝ネロの裁定を仰ぐべく、双方の代表をローマへ行かせた。みずからオリンピックに出場し優勝する——もちろん八百長——などギリシア贔屓（びいき）のネロは、ギリシア系住民の主張を全面的に認める皇帝書簡をカエサリアに送った。ローマ市の大火をめぐってキリスト教徒迫害を行ない、暴君ぶりを加速させつつあった頃である。

ネロの措置にユダヤ人が不満を募らせていた、ちょうどその時、ユダヤ総督フロルスがエルサレム神殿の宝庫から金を持ち出した。納税が遅れたための措置だとも言われているが、いずれにせよ、この事件が引き金となって、ユダヤ人は熱心党を中心にローマ帝国に対する反乱を起こした。熱心党の指導者メナヘムは、死海西岸の要塞マサダを抑えて武器を手に入れると、ユダヤの各都市を占領し、ローマ軍を追い払いつつエルサレムに入って救世主（メシア）と宣言された。

ここまでの経過は、セレウコス朝シリア王国からの独立を求めて戦った二〇〇年前のマカベア戦争とよく似ている。しかしローマ帝国は、かつてのシリア王国とは比べものにならない軍事大国であった。今回の独立戦争は絶望的な戦いだったと言わなければならない。ところが奇蹟が起こる。エルサレムに迫ったローマ軍は二度にわたって撤退した。六六年一一月には、鎮圧に向かった軍団が、いったんエルサレムを包囲したものの、不可解な退却を行ない、帰路を襲われて大きな損害を出した。そのあとパレスティナ最高司令官に任命されたウェスパシアヌス将軍は慎重に作戦を進め、六九年にはエルサレム包囲網を築き上げたが、やはり作戦を放棄してローマへ向かった。

二度にわたってエルサレムが救われたことをユダヤ人は神の加護と考えたが、客観的な理由があったようである。反乱の発端が皇帝ネロの裁定書簡であったのみならず、その後の経過にもネロの影が濃く落とされている。政治に無関心な遊び人の皇帝のもと、反乱への対応が後手後手に回った不満もあって、軍隊の反乱が各地で生じていた。ついに六八年六月ネロは自害に追い込まれた。本節の冒頭で、暴君・愚帝の存在が許されたのは支配体制が整っていたからだと述べたが、さすがに支配体制そのものを崩してしまいかねない皇帝は排除されるのである。

ネロの後継者争いが展開され、皇帝を名乗る者が次々と現れるなか、ウェスパシアヌス将軍は、反乱鎮圧のために委ねられていた軍団を帝位奪取に振り向けた。これが二度目のエルサレム包囲解除の奇蹟となったのである。しかしネロ失脚前後の混乱が、ウェスパシアヌスの即位によって収束されると、ユダヤの運命は尽きた。七〇年九月エルサレムは陥落し、ユダヤ戦争は終わった。なおも熱心党の一部がマサダの要塞に籠って抵抗を続けたが、七三年に妻子ともども悲惨な集団自決を遂げた。

ローマの支配に服して平和を享受するか、自由を求めて戦うことも辞さないか、支配下の人々は選択を迫られた。ほとんどの民族が平和と服従を選んだのに対して、ユダヤ人は自由を求めて独立戦争に踏み切った。暴君ネロという条件に恵まれて一時独立を回復したが、結局は信仰の要、自治の要であった神殿も破壊されてしまった。

四年に及ぶ戦争ののちユダヤに平和が戻った。しかしその平和は、ローマの歴史家タキトゥスが、ローマ軍との戦いを前にしたブリタニアの族長に語らせた科白(せりふ)が当てはまるものだったかもしれない。

ローマ人は破壊と殺戮と略奪を、偽って「支配」と呼び、荒涼たる世界を作りあげた時、それをごまかして「平和」と名付ける。(タキトゥス『アグリコラ』三〇章)

多くの民族が受け入れ、抵抗したユダヤ人も認めざるを得なかった「ローマの平和」は二〇〇年続いた。そのあとローマ国家は混乱のなか、またも姿を変え、そして滅亡へと向かう。

秦漢帝国とローマ帝国
――天下と res publica

ローマが地中海世界を統一しつつあった頃、ユーラシア大陸の東部にも世界帝国が誕生した。中国を統一した秦、それを受け継いだ漢帝国である。東西の世界帝国は、成立から解体まで、非常によく似た歴史をたどっている。両帝国とも数世紀にわたる繁栄ののち、内乱、異民族の侵入によって分裂し――ローマは東西、中国は南北――滅亡に至った。ところが国家の性格には大きな違いがあった。

秦漢帝国は「天下型国家」である。ここには、天から統治権を委ねられた皇帝が民を統治する、主権は天・皇帝にあるという国家観がみられる。皇帝が天下を統治するのは民のためだとして、その権限に歯止めがあったとはいえ、皇帝の専制支配を前提とした国家である。また、明確な国境をもたないのも「天下型国家」の特徴であり、皇帝の威光は、実効支配の行なわれる領域を越えて及ぶ可能性をもっている。現代の国民国家と対照的な「天下型国家」は、世界帝国の典型として紹介したペルシア帝国にも共通する。

古代中国において、天子の支配の及ぶところ、今日の言葉でいえば国にあたる言葉は「天下」であった。これに対して古代ローマ人は国家を res publica と呼んだ。レースとは「もの、ことがら」、プーブリカとは「公けの」という意味で、国家とは市民の共有物と観念されていた。それゆえローマ国家の正式名称は Senatus populusque Romanus ＝ＳＰＱＲ「ローマの元老院と市民」であり、それは帝政になっても変わらなかった。ようやく帝政後期に至って専制君主政に移行し、さらにキリスト教化によって皇帝は「神の代理人」となる。ローマ帝国も「天下型国家」に接近したのである。

（参考文献）渡辺信一郎『中華の成立――唐代まで』（シリーズ中国の歴史①）岩波新書、二〇一九年。

三、ローマ帝国の滅亡とゲルマン人の建国——新しい時代へ

マルクス・アウレリウス——「ローマの平和」の終焉

西暦二世紀、「ローマの平和」の後半は、暴君・愚帝が相次いだ前半と異なり、「五賢帝時代」(九六〜一八〇年)と呼ばれる黄金時代である。その最後を飾った哲人皇帝マルクス・アウレリウス(在位一六一〜一八〇年)のあと、ローマ帝国は衰退・滅亡へと向かう。「ローマはなぜ滅んだのか?」という問いは、歴史家だけではなく、多くの人々の関心を集めてきた。さまざまな滅亡原因論が提起されてきたが、直接ローマを滅ぼしたのがゲルマン人であったことは確かである。本節では、ゲルマン人の動向に注目しつつ、古い国家が滅亡し、新しい国家が形成される、時代の転換について考える。

一六一年、アントニヌス帝の死期が迫ってきた。「ピウス(敬虔な)」という称号を贈られたアントニヌスは、妻の甥にあたるマルクス・アウレリウスを娘と結婚させ、次の皇帝としていた。「五賢帝時代」には、このように現皇帝が元老院と相談しつつ、優れた人物を養子として後継者に指名するという方式が採られた。実際には帝位継承をめぐるトラブルも多かったようであるが、アントニヌス帝からマルクス帝への継承は平穏に行なわれた。

アントニヌス帝の治世は、長いローマの歴史でももっとも平和な時代と言われている。ところが続くマルクス・アウレリウスのもとで「ローマの平和」は終わりを迎えることになった。厳しい時代の到来を予感していたのだろうか、マルクスは即位に際して、同じくアントニヌス帝の養子であったルキウス・ウェルスを共同皇帝に指名した。ストア哲学を究めようとしていたマルクスは、皇帝の責務を分担してもらおうとした

ようである。複数の皇帝による共同統治という先例のない体制は、危機の到来を予感してのことであろう。確かに、即位直後に生じたパルティア王国軍の侵攻に対してルキウスが出陣している。

パルティアに続いて、最終的にローマを滅ぼすことになるゲルマン人の侵入が始まった。クァディ族、マルコマンニ族が北イタリアに侵入し、今回はマルクスも出陣を余儀なくされた。さらに、一六九年共同皇帝のルキウスが死ぬと、翌年から単独で対ゲルマン戦争を遂行することとなった。哲人皇帝は戦場でも学問に勤しみ、『自省録』を執筆していた。同書第一章の末尾には「クァディ族に囲まれたグラン河畔にて」との注記がみられる。

マルクス・アウレリウスの苦闘はようやくその死によって終わりを迎えた。一八〇年、遠征先のウィーン（シルミウムという伝承もある）で死期を迎えた皇帝は、「戦争とはかくも不幸なことか」と嘆いたと伝えられるが、戦争国家ローマの指導者として、迫りくる危機のもと、戦い続けなければならなかったのである。

マルクス・アウレリウスの時代は「ローマの平和」に影がさし、ゲルマン人の侵入が始まった時代であるだけではなく、キリスト教徒迫害が本格化した時代でもあった。治世の末期にガリアの都市リヨンにおいて大規模な迫害が生じ、殉教者が出た。気紛れ的な要素が大きい暴君ネロの場合は例外として、キリスト教徒迫害はローマ帝国の衰退と重なっている。

帝国の衰退と迫害の本格化は、ローマ人の宗教観を媒介として連関していた。ローマ人にとって、宗教は個人の内面の問題ではなく、なによりも集団の共同行為であった。しかも神と人間の関係について、「相互授受」と呼ばれる、ある意味では合理的な捉え方をしていた。すなわち、我々が心をひとつにして神々に生贄を捧げ、祈るので、神々がローマ国家に恵みを与えてくださるという理屈である。

このような宗教観がキリスト教徒迫害を生むことになった。いつの時代でも、戦乱や疫病に悩まされた人々は、なぜ我々に不幸が続くのかと問いかけたであろう。科学的・合理的な説明ができなかったローマ人に、宗教がわかりやすい答を用意していた。我々のなかに野蛮な教えに従い、神々を拝まない者がいる。だから神々は怒り、恵みを与えてくれなくなった。不幸の原因はキリスト教徒にある……。帝国が繁栄していた時には、困った連中だ、不穏な輩（やから）だと眉をひそめるくらいだったのが、混乱・衰退が深刻化するとともに、キリスト教徒こそが国難の原因であり、撲滅する必要があると主張されるようになった。マルクス・アウレリウスの治世末に生じたキリスト教徒迫害は、長い繁栄の時代の終わり、暗い時代の始まりを告げる事件であった。

なりたくなかった皇帝という重責ある地位、しかも目の前で時代は暗転してゆく。帝国の平和と繁栄を維持するために戦い続けたマルクス・アウレリウスを同時代の歴史家は称え、その苦難に思いを寄せている。確かに皇帝として最善を尽くした、精一杯務めたマルクスであったが、最後に大きな過ちを犯した。皇帝の器（うつわ）ではない遊び人の息子コンモドゥスを後継者に指名したのである。一〇〇年ぶりの世襲皇帝コンモドゥス（在位一八〇～一九二年）のもと政治は乱れ、その治世はやはり一〇〇年ぶりの皇帝殺害で終わった。

このあと、ローマ帝国は衰退の坂道を転がってゆく。三世紀には、軍隊反乱による帝位の目まぐるしい交替、経済の破綻、異民族の侵入、キリスト教徒迫害の激化という大混乱となる。「軍人皇帝時代」の到来である。

専制君主政への転換とキリスト教

「軍人皇帝時代」と呼ばれる危機を迎えた西暦三世紀、ローマ帝国は一気に滅亡へと向かうかにみえた。

しかし国家の構造を大きく変えることで、さらに二〇〇年存続する。二八四年に即位したディオクレティアヌス皇帝は、成り上がりの典型的な軍人皇帝であったが、即位後まもなく大きな改革を行ない、混乱に終止符を打つことに成功した。

長期にわたって存続する国家は、内外の状況に対応して体制を変化させている。ローマはその代表である。共和政から帝政へと政体を大きく変化させてからさらに三〇〇年、ディオクレティアヌスのもとでローマ国家はまたも大きく姿を変えた。共和政の伝統を残していた、いわゆる元首政から、皇帝に権力を集中させる専制君主政への転換である。

帝国を建て直すため、経済面でも国家による統制が強められた。その具体例が最高価格令（三〇一年）である。経済破綻に伴う猛烈なインフレを収めるべく、千数百項目に及ぶ商品およびサービスについて、それぞれ価格と賃金の上限を定めたものである。しかしながら、規定を超える価格で売った者は死刑と定めたものの、かえって売り惜しみが生じ、市場から商品が姿を消して、さらなる物価騰貴を招いてしまった。

国家統制は宗教面でも厳しくなった。ディオクレティアヌスは「相互授受」を表明する勅令で警告したのち、三〇三年からキリスト教徒に対する大規模な迫害を行なった。教会の破壊、聖書の焼却、信徒の公職追放など、次々と厳しい措置を講じたが、キリスト教徒を根絶することはできず、三〇五年に至って、病もあって自発的に退位することになる。

ディオクレティアヌスの退位のあと「軍人皇帝時代」が再現された。後継者争いの仲裁を頼まれた元皇帝は、「今は野菜の世話に夢中の私に、そんなことを頼みにくるな」と返事したという。帝位争いは武力で決着がつけられた。ライヴァルを次々と倒して単独皇帝となったコンスタンティヌスは、専制政治と統制経済というディオクレティアヌスの政策を踏襲する。コンスタンティヌス一世（在位三〇六～三三七年）の経済政策の要とも言えるのが、小作人に対して身分の世襲と移動の禁止を定めたコロヌス制度である。最高価格令とは異なり、コロヌス制度は定着し、中世へと受け継がれた。

こうして、ディオクレティアヌス＝コンスタンティヌス体制と呼ばれる、ローマ帝国の新たな支配体制が成立した。専制支配と統制経済によって帝国再建を進めたふたりの皇帝であったが、キリスト教に対する態度は百八十度異なった。先に述べたようにディオクレティアヌスが大迫害を行なったのに対して、コンスタンティヌスはキリスト教を公認したのみならず、死の直前に洗礼を受けたのである。皇帝独裁への転換によるローマ帝国の再建という同じ政治路線をとったふたりが、宗教政策において正反対の立場をとったのはなぜだろうか。

皇帝を市民の「第一人者（プリンケプス）」から「主人（ドミヌス）」へと変えるのに際して、ディオクレティアヌスはキリスト教徒の存在を邪魔と考えた。信徒にとって「ドミヌス」とは主イエス・キリストに他ならず、皇帝を「ドミヌス」として崇める（あが）ことはありえなかったからである。コンスタンティヌスは、キリスト教徒が崇める「ドミヌス」にみずからを重ねようとした。このようにみると、宗教は時と場合によって支配への抵抗とも、支配の補完物ともなることがわかる。国家と宗教の関係も国家論の重要なテーマであるが、普遍的な原理、一般論で解き明かすことはできそうもない。

国家のしくみを大きく変えることによってローマ帝国は立ち直った。それを示すのが、四世紀後半のユリアヌス皇帝（在位三六一～三六三年）である。ユリアヌスは副皇帝としてガリアの統治を任されると軍事力を強化して、国境を脅かすゲルマン人を抑えた。さらに配下の軍団を率いてコンスタンティノープルに攻め上って皇帝となり、即位して二年、東方のササン朝ペルシア帝国に攻め込み、都クテシフォンに迫っている。軍事国家ローマの伝統を体現する皇帝であったが、キリスト教化が進む時代にあって異教の神々を復活させようとしたため、「背教者(はいきょうしゃ)」という汚名を着せられることになった。

「五賢帝」の最後となったマルクス・アウレリウスと同じく、ユリアヌスも学者であった。学問を志しつつ、皇帝として出陣し、遠い戦地で死んだことも共通している。ただし、マルクスが病死だったのに対して、ユリアヌスは戦死であった。ここにも危機の深まりをみることができるかもしれない。ユリアヌスが異国の戦場に倒れてから一〇年あまり、ゲルマン人の大侵入が始まり、ローマ帝国は最終的に滅亡へと向かう。

古ゲルマンの世界――国家形成以前の社会

専制君主政への転換、それを補強するキリスト教の受容によって、立ち直るかと思われたローマ帝国にとどめを刺したのはゲルマン人である。ローマ領内に侵入し、帝国を滅ぼして、新たな国家を樹立したゲルマン人とはどのような存在だったのだろうか。

民族移動以前のゲルマン人の世界を古ゲルマン社会と呼ぶが、当時のゲルマン人は文字を持っていなかった。古ゲルマン社会に関するもっとも重要な史料は、ローマの歴史家タキトゥスの『ゲルマニア』である。ただし、タキトゥスには退廃したローマ社会への批判をこめて、ゲルマン人を美化する傾向もみられるので、用いるにあたっては注意が必要である。考古学などの成果もふまえると、古ゲルマン社会は次のような世界であったと思われる。

ゲルマン人はキウィタスcivitasと呼ばれる集団を形成していた。ラテン語のキウィタスは「都市」「国家」「市民権」という意味をもつが、古ゲルマンのキウィタスは、まだ都市あるいは国家と呼べるような組織ではなかった。共同体ないし部族集団というべきものである。古ゲルマンのキウィタスにはふたつの類型があった。王が存在するキウィタスと、王はおらずプリンケプスと表現される複数の首長が統治するキウィタスである。いずれのタイプでも、自由人の成人男子によって構成される民会が存在した。重要事項の審議、決議に加えて、裁判を行なう長老の選出も民会において行なわれた。

民会がどのようなものであったのかが、古ゲルマン社会を明らかにする鍵となる。タキトゥスは次のように記している。

小事には首長たちが、大事には部民全体が審議に携わる。しかしその決定権が人民にあるような問題も、あらかじめ首長たちの手許において精査されるという仕組みである。（『ゲルマニア』一一章）

外部の人間であるタキトゥスの説明には曖昧な点があり、古ゲルマン社会が自由で平等な民主政の世界なのか、それとも少数の有力者が支配する社会なのか、研究者の見解は分かれている。

古ゲルマン社会には、タキトゥスが王や首長と呼ぶような有力者がおり、奴隷もいた。自由で平等な理想の社会——原始共産制——だったのではない。しかし民会を主導していた王や首長の政治的権限には大きな制約があった。みずからの農地を経営し、武装能力をもった自由人が広汎に存在したからである。民会について述べた『ゲルマニア』一一章は続けて、「彼らは武装のまま着席」し、王や首長の提案が意に添わないなら「一蹴（いっしゅう）する」と述べている。一五章では、部族民による首長への貢納も「自発的」なものだったとされている。古ゲルマン社会は、少数の有力者が政治的・経済的に支配する階級社会でもなかった。

古ゲルマン社会の特徴を本書のテーマに沿ってまとめるなら、国家と呼べるような政治組織は存在しなかったという結論になる。重大な問題（戦争・遠征・移動）があったり、争いごとが生じた時、まずは有力者たちの協議で解決がはかられた。首長のあいだで意見がまとまらなかった場合、自由人全員が参加する民会に問題は委ねられた。注意すべきは、首長の力の源は彼が抱えている従士にあり（『ゲルマニア』一三章）、自由人は武装して民会に出席し、武器を鳴らして意思表示したことである。すなわち争論は力で決着がつけられたのである。成文法や裁判組織をもつ整った国家秩序があれば、争いは議論で決着がつき「正しい者」が勝つであろう。古ゲルマン社会にはそのような秩序は存在せず、強い者が勝つ実力主義の世界であった。

古ゲルマン社会にみられた階層の分化、貧富の差、奴隷の出現といった現象は、国家の形成を促す要因ではあったが、現実に国家が形成されるためには、それに加えて、先進文明との接触が決定的な要因となった。ゲルマン人の国家形成は、民族移動によるローマ帝国との出会いによって進められた。それはまたローマ帝国の滅亡でもあった。

永遠の都ローマの陥落――スティリコ将軍の悲劇

ローマ帝国の滅亡といえば、三七五／六年の民族大移動の開始、三九五年の東西分裂、四七六年の西ローマ皇帝の廃位といった事件が思い浮かぶが、同時代人にもっとも大きな衝撃を与えたのは四一〇年のローマ陥落である。まずは陥落に至る経過からみてゆこう。

ゲルマン人の大移動、ローマ帝国への侵入の開始とされる西ゴート族のドナウ渡河（三七六年）を同時代の記録は次のように伝えている。

事態は恐れるよりも喜ぶべきものと思われた。皇帝側近のお世辞が得意な連中は、大げさな言葉で皇帝の幸運を称えていた。地の果てからやって来た大軍が思いがけず手に入るのだ。皇帝の軍隊に、彼らゲルマン人が加わることで、無敵の軍団が生まれるだろう。（アンミアヌス・マルケリヌス『歴史』三一巻四章）

ゲルマン人の到来を歓迎している様子が窺える。わざわざローマ側から船を出してゲルマン人を運んでおり、侵入ではなく招聘（しょうへい）とでもいうべき事態である。実際、ゲルマン人は兵士としてローマ帝国にとって貴重な存在であった。ユリアヌス皇帝が副帝時代にガリアをみごとに治めたのは、ゲルマン人を将軍・兵士として活用したからであった。今回の措置も同様の政策であったが、ローマ領に入った西ゴート族は町や村を荒らし始め、三七八年には東の都コンスタンティノープルに近いアドリアノープルでヴァレンス皇帝を戦死させた。ローマ帝国の危機は、新皇帝テオドシウス一世によって辛うじて克服される。

三九五年、テオドシウス一世が死ぬと、帝国は最終的に東西に分かれることとなる。東西の帝国の対立を利用して、西ゴート族は再び東帝国を荒らしたのち、西ローマ帝国の中心イタリアに攻め込んだ。西ゴート族を率いていたのはアラリックという人物で、迎え撃った西ローマ帝国の軍事長官はスティリコであった。スティリコはゲルマンの一部族ヴァンダル族の血をひいており、彼が率いていたローマ軍にもゲルマン人が多数いた。攻めてくるゲルマン人、ローマ帝国を守るのもゲルマン人、まさに末期的状況である。

スティリコは、侵入してきた西ゴート族を二度にわたり撃破してイタリアを防衛した。しかし、敗走する西ゴート軍にとどめを刺さなかった。東帝国に対抗するため、また、北イタリアを窺う東ゴート族、ライン川を渡ろうとしているヴァンダル族など、新たなゲルマン人の侵入を迎え撃つために、西ゴート族をローマ軍に入れようと考えたらしい。

しかしながら、このような戦略はローマ人には理解されなかった。ローマ人のあいだから、スティリコは同じゲルマン人であるアラリックに情けをかけ、帝国を裏切ったとの声が上がり、配下の兵士の大半がゲルマン人だったこともあって、スティリコへの不信感が広がった。スティリコは最後の統一ローマ皇帝テオドシウス一世の姪と結婚していたが、息子を帝位に就けようとしているとの謀反の罪に問われ、四〇八年八月処刑された。転換期の悲劇である。

スティリコと妻子

西帝国を守っていた将軍スティリコが殺され、混乱に乗じてアラリックが攻撃を再開すると、ローマ軍にいたゲルマン兵はアラリックのもとへ逃亡し、その軍隊に合流した。守りを失ったローマは四一〇年八月二四日に陥落した。「ローマは征服されている。かつて世界を征服したこの町が……」同時代人の嘆きである。

「野蛮人」との結婚――皇女ガッラ・プラキディア

西ゴート族がローマを包囲した時、西の皇帝ホノリウスはすでに宮廷を安全なラヴェンナに移していた。しかし皇帝の異母妹ガッラ・プラキディアは、たまたまローマにいて捕虜となった。三日間の掠奪ののちアラリックは、ガッラ・プラキディアを連れてローマを去り、豊かなアフリカへ渡ろうとしてイタリア半島を南下した。半島の南端まで進んだものの、海に慣れていないため渡ることができず、引き返す途中で急死した。

跡を継いだアタウルフ王は、捕虜としていたガッラ・プラキディアとの結婚を決意した。四一四年一月一日の結婚式においてアタウルフは次のような演説をしている。

私はローマの名を消し去り、全ローマ領をひとつのゴート帝国としようとしてきた。しかし、野蛮なゴート人には法に基づく支配ができないとわかったので、考えを改め、ゴートの力によってローマの名を再興かつ拡大して、名声を挙げることにした。（オロシウス『歴史』七巻四三章、抄訳）

アタウルフ王が思い描いた理想は実現しなかった。西皇帝ホノリウスはゴート族を相手にせず、ガッラ・プラキディアとのあいだ生まれた息子――ローマとゴートの融合の象徴的存在――も夭折した。西ゴート族のあいだでもローマとの連携に反対があったようで、四一五年の晩夏アタウルフ王は暗殺される。ローマ文明とゲルマン人の融合による新たな世界、中世ヨーロッパの誕生はまだ先のことであった。

ガッラ・プラキディアは、夫アタウルフが殺されたのち西ローマ帝国に戻って再婚し、男子を産んだ。しかし腹違いの兄ホノリウスと対立し、東の都コンスタンティノープルへの亡命を余儀なくされた。東帝国の力を借りて西の宮廷に戻ったプラキディアは、幼い息子ウァレンティニアヌス三世（在位四二五～四五五年）を帝位に就け、その摂政として、風前の灯であった西帝国を切り盛りした。新しい都ラヴェンナに今も残るガッラ・プラキディア霊廟は、転換期を生きた皇女の数奇な生涯を伝えている。

ヴァンダル族の移動――国家形成の契機

三七六年の西ゴート族のドナウ渡河に続いて、ゲルマン人が続々とローマ帝国領内に侵入し、スティリコやガッラ・プラキディアの悲劇が生じた。次に、もっとも長距離の移動をし、最終的に北アフリカに国を建てたヴァンダル族をとり上げて、ゲルマン人が移動の過程で次第に国家組織を創り上げてゆく様子をたどってみよう。

すでに『ゲルマニア』に名前の見えるヴァンダル族は、四世紀には今日のハンガリーにいたが、西ゴート族のイタリア攻撃に呼応するかのように、四〇六年の大晦日に、ライン川を越えて――恐らく凍っていた――ローマ領内に侵入した。こうしてドナウ国境に続いて、ライン国境も崩れた。帝国支配体制の全面的な崩壊である。ガリア属州に入ったヴァンダル族は、パリ、トゥールなど各都市を蹂躙（じゅうりん）しつつ南ガリアにまで進んだ。「私たちの心を楽しませた土地の大いなる富はどこにあるのか」「平和は地上を去った。あなたが見るものはすべて、その最後に連なっている」。蛮族に奪われた財産や家畜、失われた平和を嘆くローマ人の声が響いた。

ローマ人の嘆きをよそにヴァンダル族の指導者は、ローマ軍との戦いを指揮し、戦利品を集積することで力を蓄えた。こうして部族集団から国家へと支配の組織化が進展する。ゲルマン部族国家の特徴として「軍隊王権」という概念が提起されるが、確かにローマ帝国との戦いを通じて王権が強化され、国家が形成されたのである。国家がその他の組織・団体と大きく異なる点として、戦争をすることが挙げられるが、ゲルマン国家もその起源からして戦争が関わっていた。

ガリアを荒らしたヴァンダル族はピレネー山脈を越えてスペインに入り、そこに二〇年間とどまったのち、四二九年にジブラルタル海峡を越えてアフリカ大陸に渡った。めざすは豊かなアフリカ属州の中心都市カルタゴ、四一〇年にローマを攻略した西ゴートの族長アラリックが、航海術の未熟さゆえにたどり着けなかった憧れの地である。

アフリカに渡ったヴァンダル族は征服を進め、司教座都市ヒッポを包囲した。当時の司教は有名な聖アウグスティヌスで、病の身で町の安寧を祈りつつ、ヴァンダル族の包囲下の四三〇年八月に死んだ。それから一年後ヒッポは陥落する。西ローマ帝国はヴァンダル族と協定を結び、同盟者としてアフリカに定住することを認めざるをえなかった。さらに四三九年にはカルタゴも攻略され、豊かな属州アフリカはローマ帝国から失われた。

カルタゴを制圧したヴァンダル族は、海軍を建設して地中海に乗り出した。四五五年には海を渡ってローマを攻略し、略奪を加えている。フランス革命の時代に、宗教芸術などの破壊をヴァンダル族の行為に擬え（なぞらえ）て「ヴァンダリズム（文明破壊・蛮行）」と呼んで以来、ヴァンダル族は野蛮人の代名詞とされてきた。聖アウグスティヌスの伝記にヒッポ包囲の様子が記されたことに加えて、とりわけローマ略奪事件がヴァンダル族を蔑視する言葉の由来である。

しかしながら、四一〇年の西ゴート族のローマ攻略と四五五年のヴァンダル族の場合を比べてみると、配下の兵士による略奪があったことは共通であるが、ヴァンダル族の方が整然と行なっており、軍の統率がとれていたことが窺える。移動・定住の間にしっかりした組織・秩序が形成されたのである。ローマ攻略時の西ゴートを王国とは呼び難いが、カルタゴに都を構えたヴァンダルは、確かにヴァンダル王国と呼べる存在であった。

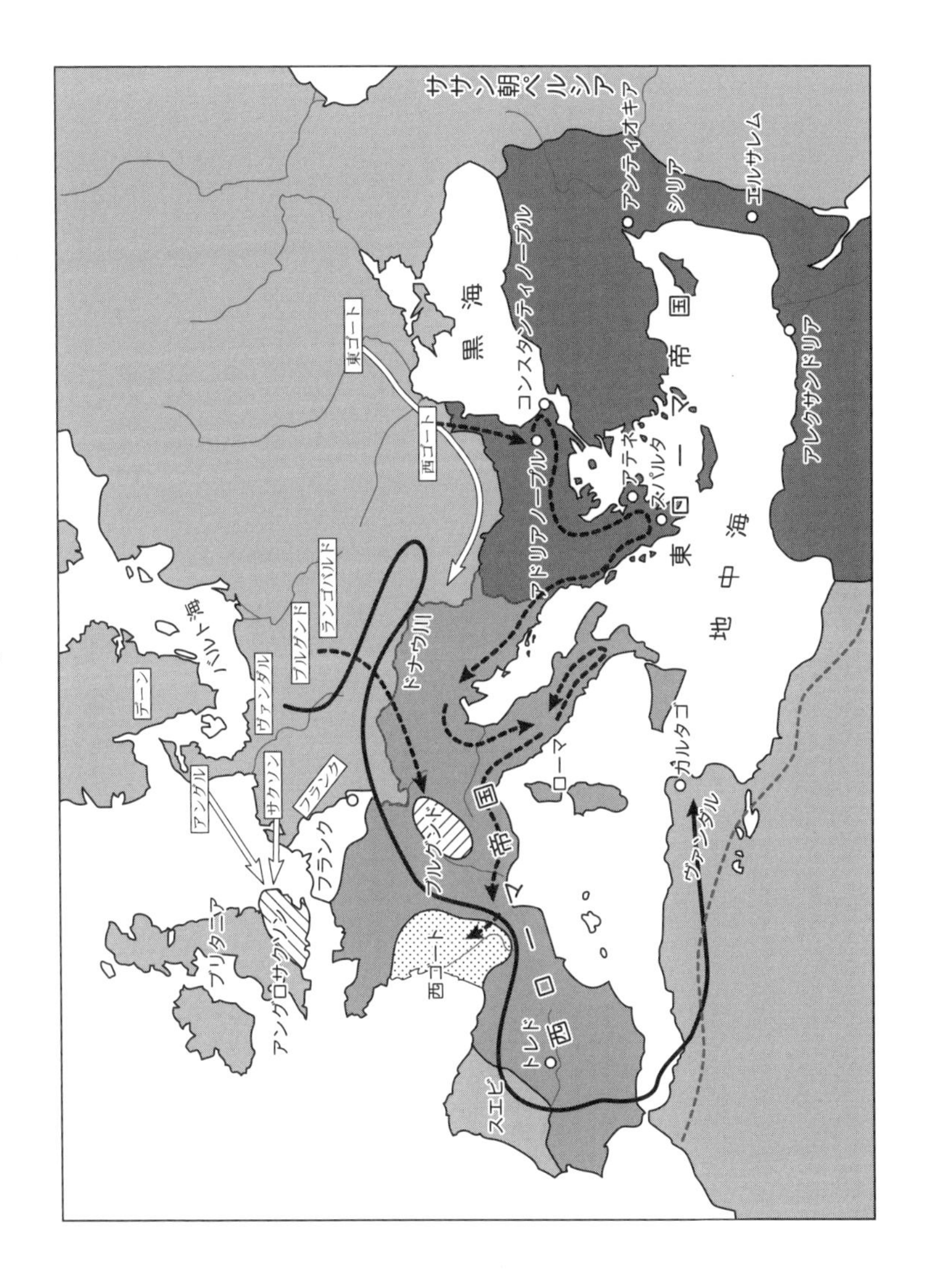

地図７　ゲルマン民族の移動（375 〜 450 年）
（参考文献、堀米『中世の光と影』より作成）

フランク王国の成立──冷酷な英傑クローヴィス

すでに述べたように古ゲルマン時代には国家は存在しなかった。ゲルマン人の国家形成は、民族移動によるローマ帝国との接触を通じて進められた。このあと第三章でとり上げる中世国家の源となったフランク王国に対象を移して、ゲルマン人の国家形成をさらに具体的にみてゆこう。

先にみた西ゴート族、ヴァンダル族が、ローマ帝国のはるか東北方から長距離の移動を行なったのに対して、フランク族はライン下流の国境地域から徐々にガリアへと勢力を広げた。皇帝が戦死した三七八年のアドリアノープルの戦いや、四一〇年のローマ攻略、四三一年のヒッポ陥落のような劇的な事件、著名人がかかわる事件がなかったので、その経過は詳しく伝わっていない。しかしローマ帝国との接触によって国家形成が進んだという点は共通である。

フランク王国の初代の王とされるのは、五世紀初めのメロヴィクスであり、その名にちなんでメロヴィング王朝と呼ばれるが、実質的な建国者は孫のクローヴィス一世（在位四八一～五一一年）である。西ローマ帝国の滅亡の直後にフランク王となったクローヴィスは、一代で強大なフランク王国を築き上げた。

クローヴィスは王権を確固たるものにするため、一族の者を次々と殺した。血統を重んじるフランク族にあって、王の地位を脅かすのは自分の一族に他ならなかったからである。王族を皆殺しにしたあとでクローヴィスは、「惨めな私、私は今、異邦人のなかで他人として暮らし、いざ何かことが起きた時、助けてくれる親戚をひとりももっていない」と嘆いた。しかし死者を悼（いた）んでそう言ったのではなく、こう言えば、「私は王様の遠縁の者でございます」と名乗り出てくる者があるはずで、他にも殺すべき人物を見つけられるのではないかと考えて、そんなことを言ったのだ、とフランクの歴史書は記している。国家形成の血腥（なまぐさ）い一面を語る逸話といえよう。

国家の重要な要素として法がある。ゲルマン人も国家の形成と並行して、部族法典と総称される成文法をまとめている。もっとも古いのが、西ゴートの『エウリック法典』やフランクの『サリカ法典』で、後者は六世紀の初頭、クローヴィスの治世末期に編纂されたものである。部族法典は、口頭で伝えられてきた法ないし慣習をラテン語でまとめたもので、ローマ文明の影響を強く受けている。ここにもまた、先進文明との接触を通じて国家が形成されてゆく様子が窺える。

クローヴィスによる国家体制の整備において、法典と並ぶ重要な要素として、東ローマ皇帝からコンスル（執政官）という名誉官職を受けたことが挙げられる。これまた先進文明との接触である。さらに重要だったのがキリスト教への改宗である。国家的統一の進展に伴い、自然崇拝、祖先崇拝といった原始的な信仰、神観念に代わって、先進文明の宗教を受け入れ、国家の支配イデオロギーとするのは、日本の仏教受容など、多くの民族にみられる現象であるが、ゲルマン人はローマからキリスト教を受け入れた。先にみた西ゴート族やヴァンダル族が、異端とされたアリウス派だったのに対して、フランク族はクローヴィスのもと正統カトリックに改宗した。多数を占めるローマ系住民と信仰を共にしたことは、フランクの国家発展に大きな意味をもった。

西ローマ帝国の滅亡（四七六年）、その直後のクローヴィスの即位（四八一年）とキリスト教改宗（四九六年）は、国家という観点から見た古代ローマから中世ヨーロッパへの転換の画期であった。

ローマ世界システムの崩壊

ローマ帝国が滅びて時代は中世へと向かう。なぜローマは滅びたのか、滅亡を目の当たりにした同時代人から現代の歴史家に至るまで、多くの説明がなされてきた。滅亡の原因をめぐる議論はまさに百花繚乱（ひゃっかりょうらん）であるが、大きく分けると、ローマ自体に原因があったとする説と、外部に要因を求める見解となる。一八世紀の歴史家E・ギボンは『ローマ帝国衰亡史』において、滅亡の要因を「野蛮と宗教」と表現した。野蛮とはゲルマン人のことであり、宗教とはキリスト教のことである。帝国の外部に原因を求める外因論と、帝国内部の変化に注目する内因論、それぞれの原型ともいえる説明である。

ローマ帝国は侵入してきたゲルマン人によって滅ぼされた。しかしローマ帝国が健全だったなら、侵入を撃退できたであろう、滅亡の原因はローマ内部に求めるべきである。いや、ローマ帝国が一時的に衰退してもゲルマン人の侵入さえなければ、さまざまな改革を行ない存続できたはずである。滅亡の原因はやはりゲルマン人にある。いやいやローマ帝国が健全だったなら……。議論は果てしなく続く。

ローマ帝国滅亡の原因として奴隷制経済の破綻が挙げられることが多い。内因論のひとつで、もっとも有力な学説といってよいだろう。確かに、三世紀「軍人皇帝時代」の混乱、経済的危機の背後には、征服戦争の終了に伴う奴隷労働力の枯渇（こかつ）があった。しかし奴隷制のゆき詰りを前にして、コロヌス制という新しい制度の導入がはかられたことも事実である。コロヌスを法制化したのは、帝国の再建を進めたコンスタンティヌス一世に他ならない。このように考えると、一概に奴隷制経済の破綻がローマ帝国の滅亡を招いたとは言えないように思われる。奴隷制に注目しつつも、視野を広げてローマ帝国の滅亡を再検討する必要がある。

ローマの奴隷制社会は単独で成り立っていた社会ではない。奴隷を供給する「野蛮人」の世界を不可欠としていた。ローマは他民族・他国家を征服すると、その住民の一部を奴隷とした。奴隷はローマ社会内部では再生産されず、国境外の「野蛮人」の世界から軍事力で獲得された。だからこそ安上がりの労働力としてローマ経済を支えていたのである。ある未開部族を征服し、ローマ化すると、新たな奴隷供給源をさらにその外部に求めてゆく。ローマが拡大を続けた理由である。

このようなローマ帝国と周辺世界の関係は「世界システム論」の視点から捉えることができる。世界システム論とは、発展段階論に対する批判として提起された理論で、発展段階を異にする国家・社会――奴隷制のローマ帝国と未開の古ゲルマン社会――がひとつのシステムを構成しているとする歴史の見方である。

世界システム論の視点に立つと、ローマとゲルマンの関係は次のように理解される。ローマはゲルマンを搾取(さくしゅ)することで発展した、ゲルマンはローマによって発展を阻害され、長く未開状態に留まった。前者ローマをシステムの「中核」、後者ゲルマンを「周辺」と呼び、中核地域の発展と周辺世界の停滞を、相互に連関した一対の現象とみる理論、それが「世界システム論」である。簡単でわかりやすい説明を引用しておこう。

イギリスは工業化したのにインドはまだ工業化していないというのではない。イギリスが工業化したから、インドは「低開発」になったのである。(『歴史学事典1、交換と消費』「世界システム論」)

奴隷や兵士の供給源とされることによって古ゲルマン社会は、ローマ世界システムの「周辺」に転落した。ローマがゲルマン世界を収奪して発展するということは、ゲルマン人の側からいえば、自分たちの力、労働の成果、人的資源をローマに吸い取られてゆくことに他ならない。副皇帝としてガリアに赴いたユリアヌスが帝国の支配体制を強化できたのも、ゲルマン人の活力を吸い上げたからであった。

ローマ世界システムの「周辺」とされてゆくゲルマン人が、ローマから文化・技術を学び、自分たちを奴隷とするローマ人の国家を打倒したこと、それによって、奴隷となるという運命を創り変え、新しい時代を生み出したこと、それこそがゲルマン民族の侵入、ローマ帝国の滅亡に他ならない。このように捉えるなら、ゲルマン人の侵入は単なる外的な要因ではなく、奴隷制というローマ内部の問題でもあり、ローマとゲルマンをひとつの世界システムとみて、そのシステム全体の転換ということになるだろう。四～五世紀に生じたのはまさにこの大転換であった。

ローマの歴史は戦争、征服の連続であった。奴隷の獲得をめざす戦争の歴史である。ローマの国家・社会・経済を成り立たせていた要素、その根源には軍事力があった。軍事力によって打ち建てられた世界支配は、その軍事力を維持できなくなって滅亡に至る。征服戦争によって新たな「周辺」、すなわち奴隷供給源を創り出せなくなった時、ゲルマン人がローマ軍団の主力をなすに至ったことも含めて、ゲルマン人に軍事的に屈した時、戦争国家ローマは滅びたのである。

第二章ではローマ国家について詳しく論じた。その理由はふたつある。ひとつは本章の冒頭で述べたように、ローマは成立から滅亡まで、政体の変化を含めてその歴史がよくわかっており、国家のかたちや盛衰を学ぶための最良の対象だからである。もうひとつの理由は、「ローマ」という国家理念は中世のヨーロッパに色濃く残り、次章で取り上げる西欧中世国家のあり方に大きな影響を与えたからである。

邪馬台国

女王卑弥呼(ひみこ)がいたという邪馬台国について、所在地をめぐって九州（北九州）説と畿内（大和）説のあいだで論争があり、卑弥呼とは何者なのかも古くから議論されてきたが、いずれも結論は出ていない。

邪馬台国の所在地が大和なら、近畿から北九州までを含む、広範囲の政治的統合が実現されていたことになり、北九州なら、女王のもとにあったのは狭い地域だったことになる。国家の領域はその性格とも関わってくるので、所在地をめぐる論争は、邪馬台国がどのような国家ないし社会だったのかという問題にもつながる。

女王のもとに三〇ほどの国があったというので、かたちはヘレニズム時代のアカイア連邦のような都市同盟に似ているが、邪馬台国以下の国は都市国家ではなかった。古バビロニア王国のような領域国家でもないし、ましてや世界帝国ではない。

邪馬台国の日本にもっとも近いのは、ローマの歴史家タキトゥスが伝える古ゲルマン社会であろう。どちらも王・首長と呼ばれる支配層がおり、住民は身分（大人(たいじん)・下戸(げこ)）に分かれている。奴隷（生口(せいこう)）もいた。しかし統一的な政治組織は存在しないし、国家支配の要ともいうべき法は知られていない。文字を持たず、都市と呼べるような集落もないことも合わせると、邪馬台国連合もまた国家が誕生する直前の世界とみるべきである。

邪馬台国と古ゲルマン社会が似ているのは、『魏志倭人伝』と『ゲルマニア』がともに、先進文明から見た周辺の「野蛮人」に関する記録というためでもあろう。両者を読み比べてみると、「野蛮人」の世界だけではなく、中国とローマというふたつの先進文明の共通点・相違点も浮かび上がってくる。

（参考文献）小路田泰直『邪馬台国と日本人』平凡社、二〇〇一年

第三章

幻の世界帝国と緩やかな封建国家——中世国家のかたち

第三章では西洋中世の国家について学ぶ。中世は一般に封建制の時代といわれ、中世国家すなわち封建国家と理解されてきた。しかし現実の中世国家はさまざまなかたちをとっており、複雑な歴史をたどっている。第一節では、世界帝国という理念を掲げた神聖ローマ帝国を取り上げ、続く第二節では、典型的な中世封建国家といわれるフランス王国の歴史を、イングランド王国との関係に注目しつつ論じる。第三節では、中世末の英仏百年戦争を軸に近代国家へ向けてのあゆみをたどる。

一、神聖ローマ帝国――神聖?ローマ?帝国?

曖昧(あいまい)な国

序章で、不思議な国としてビザンツ帝国を紹介したが、神聖ローマ帝国もまた奇妙な国である。各種の歴史辞典では、今日のドイツ、北イタリア、南東フランスを支配した国家、九六二年のオットー一世の皇帝戴冠で成立し、一八〇六年にナポレオンによって解体された、と説明されている。整った支配体制をもち、明確な輪郭をもった中・近世国家のようである。しかし、国家としての実体はきわめて怪しい。たとえば、この国の正式の名称は?、都はどこ?と聞かれても、ひとことでは答えられないのである。

一一世紀には「ローマ帝国」、一二世紀には「神聖帝国」と称した。続いて両者を合わせた「神聖ローマ帝国」という呼び方が広がった。一五世紀になると「ドイツ国民の神聖ローマ帝国」と名乗り始める。しかしその頃には、神聖でも、ローマでも、帝国でさえない、単なるドイツ国家となっていた。

都も同様である。中世の前半、この国の君主は各地を巡回していた。いわゆる「移動宮廷」であり、神聖ローマ帝国は固定した都をもたなかった。あえて都というなら、ドイツ王としての戴冠を行なったアーヘンか、皇帝戴冠を行なうローマであろうが、それならと、国王選出の議会が開かれたフランクフルトも都として名乗り上げそうである。一四世紀にはチェコのプラハが皇帝の所在地となり、「黄金のプラハ」と呼ばれる繁栄を示した。代々ハプスブルク家から皇帝が出るようになる一五世紀以降は、ウィーンと答えてもよさそうだが、この時期でもなお、国王戴冠や帝国議会の開催地がウィーンに一本化されることはなかった。

教科書的には、神聖ローマ帝国の成立は九六二年とされるが、これまた微妙である。帝国には長い前史があった。また、滅亡とされる一八〇六年よりはるか以前に実体は失われていた。始まりも終わりも曖昧な国である。国家を体現する君主も、ドイツ王が神聖ローマ皇帝を兼ねるとされるものの、王となっても皇帝戴冠をしない者、できない者も少なくなかった。

この不思議な国の歴史と国家のしくみを、その頂点に立った皇帝を中心に、時代を追ってみてゆくことにしよう。

「ヨーロッパの父」カール大帝

西暦八〇〇年一二月二五日、当時ローマに滞在中であったフランク王カールは、クリスマスのミサに参列すべく聖ペテロ大聖堂に赴(おもむ)いた。カールを待っていたのは思いがけない出来事であった。教会に入ったカールの頭上にローマ教皇レオ三世が帝冠を置き、居合わせた人々が「気高きカール、ローマ人の皇帝」と歓呼した。西ローマの皇帝が廃位されて三〇〇年以上、ここにローマ皇帝が復活したのである。ただし、カールの戴冠は古代の復活ではなく、中世の成立、すなわち新しいヨーロッパ世界の誕生を告げる事件であった。

ヨーロッパを構成する要素として、ゲルマン人の若々しい活力、キリスト教の信仰、古代ローマ帝国の伝統が挙げられるが、八〇〇年の「カールの戴冠」は、ゲルマン人のカールが、キリスト教の指導者ローマ教皇から、古代文明の象徴ともいうべきローマ皇帝の冠を与えられたものであり、まさにヨーロッパを象徴している。カールは確かに「ヨーロッパの父」である。

しかしカール自身はこのようなかたちで皇帝となることを望んでいなかった。側近の文人アインハルドゥスは『カール大帝伝』のなかで、「あの日がたとえ大祝日であったとしても、もし教皇の意図をあらかじめ推察できていたら、あの教会にのこのこ踏み込んだりはしなかっただろう」という王の言葉を紹介している。カールの逡巡(しゅんじゅん)にはふたつの理由があったように思われる。

ひとつはビザンツ（東ローマ）帝国の反発を懸念したことである。ビザンツ皇帝は、この世に皇帝は唯ひとり、「新しいローマ」コンスタンティノープルに座す皇帝のみと主張していた。カールの皇帝称号をめぐって両者のあいだで交渉が繰り返され、占領したヴェネツィアをビザンツ帝国に引き渡すなどして、ようやくカールは「フランク人の皇帝」と認められた。こうして神聖ローマ帝国へと続く西欧世界の皇帝が誕生した。

さらに大きな理由は、ローマ教皇から戴冠されるという形式である。教皇が皇帝を創る、すなわち教皇が皇帝の上に立つことをカールは望まなかった。教皇の影を振り払うかのように、戴冠のあとカールは北方ゲルマン世界に戻り、アーヘンの宮廷に座している。このあと一度もローマへは行かなかった。しかしカール以降の西方の皇帝たちは、ローマ帝国を直接継承するビザンツ皇帝（「ローマ人の皇帝」）に対抗するために教皇の権威に頼らざるを得ず、結局、中世ヨーロッパ世界は教皇が頂点に立つカトリック世界となる。

神聖ローマ帝国の誕生——オットー大帝

カールが復興したローマ帝国は孫の代で、八四三年のヴェルダン条約、八七〇年のメールセン条約によって、ほぼ今日のドイツ、フランス、イタリアに当たる東フランク王国、西フランク王国、イタリア王国に分裂した。各国の王が次々と皇帝を称したものの、皇帝称号は名目的なものとなり、一〇世紀になると、西欧世界に皇帝は存在しなくなった。

分裂と混乱のなかにあって、いち早く統合と発展に向かったのは東フランク王国である。九一一年、東フランクでカロリング王朝が断絶し、有力諸侯による選挙王政へと移行した。この選挙王政というしくみは神聖ローマ帝国の国制の基本となる。続いて九一九年には、ザクセン大公のハインリヒ一世がドイツ王に選ばれた。その息子のオットーも、九三六年アーヘンで開かれた有力者の会議において王に推戴（すいたい）された。実質的には父ハインリヒの指名による即位であったが、形式上は諸侯の選挙によって選ばれたことになっている。ハインリヒ一世に始まり、オットー一世以下続く東フランク＝ドイツの王朝は、出身地からザクセン朝と呼ばれる。

ザクセン朝第二代のオットー一世は王権の強化に努めた。なお部族連合的な体制にあったドイツにおいて中央集権化を進める手段となったのが、いわゆる帝国教会政策である。宮中司祭など王側近の聖職者を司教や修道院長に任命し、彼らを通じて地方支配を行なうもので、聖職者は独身なので権限が世襲、私物化されることがなく、かつ行政に必要な読み書き能力を備えていたため、王権の浸透をはかるのに都合がよかった。各地の教会も、地域の貴族・有力者の介入に対抗するため王の庇護を必要としており、その支配を受け入れた。国王による教会支配に対しては、ローマ教皇が異を唱えるはずであったが、当時の教皇たちは混乱するイタリア情勢に巻き込まれて、むしろドイツ王に頼らざるをえない状態であった。

ザクセン朝が王権の強化を進めていた頃、東方から移動してきた騎馬民族マジャール人、すなわち今日のハンガリー人がヨーロッパの各地を荒らしていた。九五五年、オットー一世は南ドイツ、アウグスブルク近郊のレッヒフェルトでマジャール人を破り、その略奪遠征を終わらせた。かつてカール大帝の祖父カール・マルテルが、ピレネーを越えて侵入してきたイスラーム教徒アラブ人を撃退したツール・ポワティエの戦い（七三二年）を思わせる勝利である。カロリング家はキリスト教世界の防衛者としての名声を博して、カール・マルテルの息子ピピンがフランク王の地位を簒奪し、孫カールが「ローマ皇帝」となったが、オットー一世もレッヒフェルトの勝利を王権の強化に結びつけた。

九六一年にオットーはイタリアへ遠征した。イタリア王ベレンガリオ二世など在地の勢力に圧迫されていたローマ教皇が、レッヒフェルトの英雄オットーに救援を求めたのである。ベレンガリオを破ったオットーは、九六二年にローマで教皇ヨハネ一二世から皇帝の冠を受けた。

オットー自身は神聖ローマ皇帝とは名乗っていないが、一般にはこの九六二年の皇帝戴冠でもって神聖ローマ帝国の成立とされる。オットー一世は、八〇〇年のカールの戴冠が教皇の主導で行なわれたことを意識していたらしく、皇帝が教皇に従属することのないよう努めた。在位中に息子のオットー（二世）をドイツ王、そして皇帝に指名している。ローマ教皇による皇帝戴冠を追認の儀式に留めようとしたのである。皇帝と教皇、いずれが主導権を握るのか、西欧世界の指導者となるのか、教権と帝権の争いは一一世紀後半に大きな転機を迎える。それはまた、神聖ローマ帝国という国のあり方を決定づけるものとなった。

「カノッサの屈辱」――ハインリヒ四世

一〇三三年、神聖ローマ皇帝コンラート二世は、ドイツ、北イタリアに加えて、南東フランスのブルグンドも支配下においた。このあと彼は自分の国を「ローマ帝国」と称するようになる。フランスなど諸王国の上に立つ普遍的な世界帝国であるという表明である。帝国としての実質を確保するため、コンラートも帝国教会政策を踏襲した。神聖ローマ皇帝の権力は、コンラート二世およびその息子ハインリヒ三世の時代にもっとも強力となった。

ハインリヒ三世は一〇四六年に公会議を開いて、対立する三人の教皇を廃位し、新たな教皇クレメンス二世を擁立した。皇帝は「ローマ帝国」の支配者として教会を保護する、皇帝こそが西欧カトリック世界の指導者であるとの信念に基づく行動であった。実際、このあとローマ教皇となったのはいずれもドイツ人で、事実上、ドイツ王＝皇帝による指名であった。

皇帝が主導権を発揮できたのは、教会の混乱、堕落によるところが大きかった。当時の教会には、聖職売買や聖職者の妻帯、対立教皇の並立といった事態がはびこっていた。これに対して、中東部フランスのクリュニー修道院を中心とする改革運動が生じたが、西欧カトリック世界の指導者を自認するハインリヒ三世は、その熱心な支持者であった。教会を正しい姿に戻すことが皇帝の責務であるとの信念のもと、ドイツ教会の改革を進めただけではなく、教皇選出にも介入したのである。

続くハインリヒ四世（ドイツ王一〇五四～一一〇六年、皇帝一〇八四～一一〇六年）時代になると、教皇庁の側でも教会改革運動が大きく進展する。聖職売買をはじめとする腐敗を根絶しようという運動の旗頭であったヒルデブランドという人物が、一〇七三年ローマ教皇に選ばれ、グレゴリウス七世と名乗った。このたびは皇帝の関与を受けない教皇選出であった。

新教皇は、かねてより進めてきた教会改革を全面的に展開した。改革の要は聖職叙任権である。グレゴリウス七世は次のように主張した。教会の混乱、聖職者の堕落の原因は、俗人による聖職者の任命にある。司教の叙任権は教皇の至上の権限であり、皇帝など俗人による任命は、たとえ金銭の授受を伴わなくても、すべて聖職売買とみなされる。教皇の主張は、皇帝が行使してきた司教叙任権——帝国教会政策の要——を真っ向から否定するものであった。

ハインリヒ四世は一〇七六年一月にドイツで司教会議を開き、グレゴリウス七世の廃位を宣言した。彼の教皇宛書簡は、「ハインリヒ、神の聖なる導きによって定められた国王が、もやは教皇ではない、偽りの修道者に告ぐ」と始まり、「降りよ、降りよ、永遠に罰せられるべきお前は」と結ばれていた。

ハインリヒ四世の書簡に対して、翌月グレゴリウス七世は破門宣告でもって応えた。「私はあなたに天の国の鍵を授ける。あなたが地上でつなぐことは、天上でもつながれる。あなたが地上で解くことは、天上でも解かれる」とペテロに語ったイエスの言葉(『マタイ福音書』一六章)を引用して、聖ペテロの後継者であるローマ教皇には信仰の敵を破門する権限があると主張したのである。自分は神によって選ばれた皇帝であると信じるハインリヒ四世にとって、破門そのものは痛くも痒くもないはずであった。しかし教皇の破門宣言には、ハインリヒの臣下に対して、主君への忠誠義務を解除し、ハインリヒに仕えることを禁じる文言が含まれていた。

帝国教会政策によってドイツ国内の司教をある程度掌握していたハインリヒ四世であったが、諸侯に対する統制は充分ではなかった。ドイツも群雄割拠の状態だったのである。諸侯は国王による専制的な支配に抵抗し、自立の道を探っていた。そのような諸侯たちにとって破門宣告は格好の口実となった。一〇月に開かれた諸侯の会議は、破門宣言から一年後の七七年二月にグレゴリウス七世を招いてアウグスブルクで国会を開催し、それまでに破門が解除されていなければ、ハインリヒの廃位を決議することを確認した。

先にも述べたように、ドイツ王国＝神聖ローマ帝国は選挙王政が原則であったから、諸侯の動向は無視できなかった。ハインリヒ四世は破門解除を求めてローマへ向かう。二月までに破門の解除を受けるために真冬のアルプスを越え、当時北イタリアのカノッサ城にいたグレゴリウス七世に面会を求めた。伝説によれば、会見を拒否するグレゴリウスに対して、ハインリヒは三日間、雪のなかに無帽・裸足で立ち、涙ながらに赦しを求めたという。ようやく城内に迎え入れられ、告解を行なって破門を解除された。

これが「カノッサの屈辱」と呼ばれる事件である。ローマ教皇は帝権・王権より上位にあり、西欧は教皇を頂点とするカトリック＝キリスト教世界であることを示す出来事として有名である。

神聖帝国――フリードリヒ一世バルバロッサ

「カノッサの屈辱」は、西欧中世世界において教皇権が皇帝権に優越することを示す事件とみなされてきた。その理解は間違いではない。しかし短期的に見ると、勝利したのは、屈辱に耐え、破門解除を勝ち取ったハインリヒであった。破門を解かれたハインリヒ四世はただちに反撃に出ている。軍事力となるとローマ教皇は皇帝に敵わなかった。ドイツの諸侯たちも、もはや王に反抗する大義名分を持たなかった。ハインリヒは「屈辱」から七年後、一〇八四年に、最終的にグレゴリウス七世をローマから追放し、代わりに立てた教皇クレメンス三世から、勝ち誇るかのように皇帝戴冠を受けた。グレゴリウスは南イタリアのノルマン人のもとへ亡命し、まもなくその地で死んだ。

政治力学の観点からみれば、破門解除はグレゴリウス七世の大きな失策であった。最大の武器をみずから手放してしまったからである。しかしキリスト教の指導者としての教皇は、悔い改め、赦しを求める者——それが見せかけの謝罪とわかっていても——を受け入れないわけにはゆかなかった。ハインリヒ四世に対抗するため、ドイツ諸侯に呼びかけるなど、政治的に動いていたグレゴリウス教皇も、究極的には宗教者として振る舞わざるを得なかったのである。痩せ我慢といえるかもしれない。しかしその痩せ我慢こそが教皇の権威を高めるものであった。

勝利したかに見えたハインリヒ四世であったが、末路は宿敵のグレゴリウス七世と同じく悲惨であった。諸侯を味方に付けた息子ハインリヒに背かれ、失意のうちにこの世を去った。父のあとを継いだハインリヒ五世は、一一二二年、教皇とのあいだでヴォルムス協約を締結する。長く続いてきた叙任権闘争の最終的な決着であった。協約によって皇帝は、これまで執り行なってきた「指輪と司教杖」による司教叙任権を放棄した。司教・修道院長の叙任権は教皇にあることが確認され、皇帝の権限は選出に立ち合い、司教領など世俗の権限を授けるのみとなった。

ヴォルムスの協約によって神聖ローマ帝国、皇帝も、普通の国、普通の君主となったと言ってよいだろう。司教叙任権を放棄したことによって、かつては直属の官僚であるかのように利用していた司教を、世俗の諸侯と同じく封建的な臣下とみなさざるを得なくなった。かくして神聖ローマ皇帝も封建制度によって国の統治を進めてゆくことになる。一二世紀後半のフリードリヒ一世バルバロッサ（ドイツ王一一五二～九〇年、皇帝一一五五～九〇年）は、封建関係を通じて国をまとめ上げようとした。封建国家としてのドイツは、フリードリヒ一世の時代に確立するのである。

ただし、国家の封建化と逆行するかのように、まさにこのフリードリヒ一世のもとで世界帝国の言説が生み出されていった。この時代に神聖帝国という呼び方が始まる。神聖帝国という表現は、皇帝権は神に直属するものであって、ローマ教皇から受けとるものではない——教皇による戴冠は追認にすぎない——という主張であった。フリードリヒ一世はその根拠として、『ルカ福音書』二二章を引用する。弟子たちが「『主よ、剣なら、このとおりここに二振りあります』と言うと、イエスは『それでよい』と言われた」という一節から、皇帝権もまた教皇権と同じく神に直接由来するという「両剣論」を導き出した。さきのグレゴリウス七世の破門通告と同じく、フリードリヒ一世バルバロッサの「両剣論」も聖書を引用——かなり強引なこじつけ——しつつ主張を展開している。中世はまさにキリスト教の時代であった。

神聖帝国を実現するために、フリードリヒ一世は十字軍を活用しようとした。イスラームの英雄サラディンのエルサレム征服（一一八七年）に対して組織された第三回十字軍には、英独仏の王が揃って参加を表明したが、フリードリヒはいち早く出発し、聖地へと向かった。かつてのカール・マルテルやオットー一世のように、キリスト教信仰の擁護者として皇帝の威光を示そうとしたのであろう。

封建制度を通じて国内を固めつつも、なお世界帝国の夢を追ったバルバロッサであったが、その夢ははるか小アジアで潰（つい）えた。サレフ川で溺れて帰らぬ人となったのである。遠い世界での思いがけない事故死であったためか、生前の言動が強い印象を残したためか、皇帝は死んでいない、いつか祖国ドイツのために現われるまで、深い眠りに落ちているだけであるという、バルバロッサ伝説が生まれた。ナチスの対ソ戦にバルバロッサ作戦という暗号名（コードネーム）が付けられたのは、バルバロッサ伝説の最後の復活といえるかもしれない。

「ラスト・エンペラー」にして「最初の近代人」——フリードリヒ二世

一一八六年、フリードリヒ一世バルバロッサの息子ハインリヒ六世は、シチリア王国の王女コンスタンツェと結婚した。ふたりのあいだに生まれたのが、異色の皇帝フリードリヒ二世（ドイツ王一二一二～五〇年、皇帝一二二〇～五〇年）である。

フリードリヒ二世が生まれる少し前、シチリア王家では男系が絶え、王の直系親族は、神聖ローマ皇帝ハインリヒ六世に嫁いだコンスタンツェのみとなった。この状況をみてハインリヒは、南イタリア、シチリアに遠征し、都パレルモでシチリア王として戴冠した。こうして北のドイツ＝神聖ローマ帝国と南のシチリア王国がひとりの君主のもとにおかれることになった。叙任権闘争においてグレゴリウス七世を支援するなど、頼もしい支持者であったノルマン人が建てたシチリア王国が、皇帝の支配下に入ったことはローマ教皇にとって由々しい事態であった。

ところがハインリヒはシチリア王となってわずか三年、一一九七年に三二歳という若さで死んだ。息子フリードリヒ二世はまだ三歳、皇太后のコンスタンツェは教皇と相談の上、ドイツ王の地位は亡き夫ハインリヒ六世の弟に継がせ、息子フリードリヒをシチリア王とした。ひとりの人物が両国の君主を兼ねることに教皇側が難色を示したようである。

その直後にコンスタンツェも死んだ。彼女は教皇インノケンティウス三世を幼い息子の後見人に指名していた。教皇はパレルモの宮廷に家庭教師を派遣し、将来皇帝となるはずの幼いシチリア王を、みずからの意に添う君主として育てようとした。そのもくろみは完全に外れた。フリードリヒ二世は、「モーセ、キリスト、マホメットは世界三大詐欺師だ」と言ったという話がまことしやかに伝えられているような人物で、繰り返

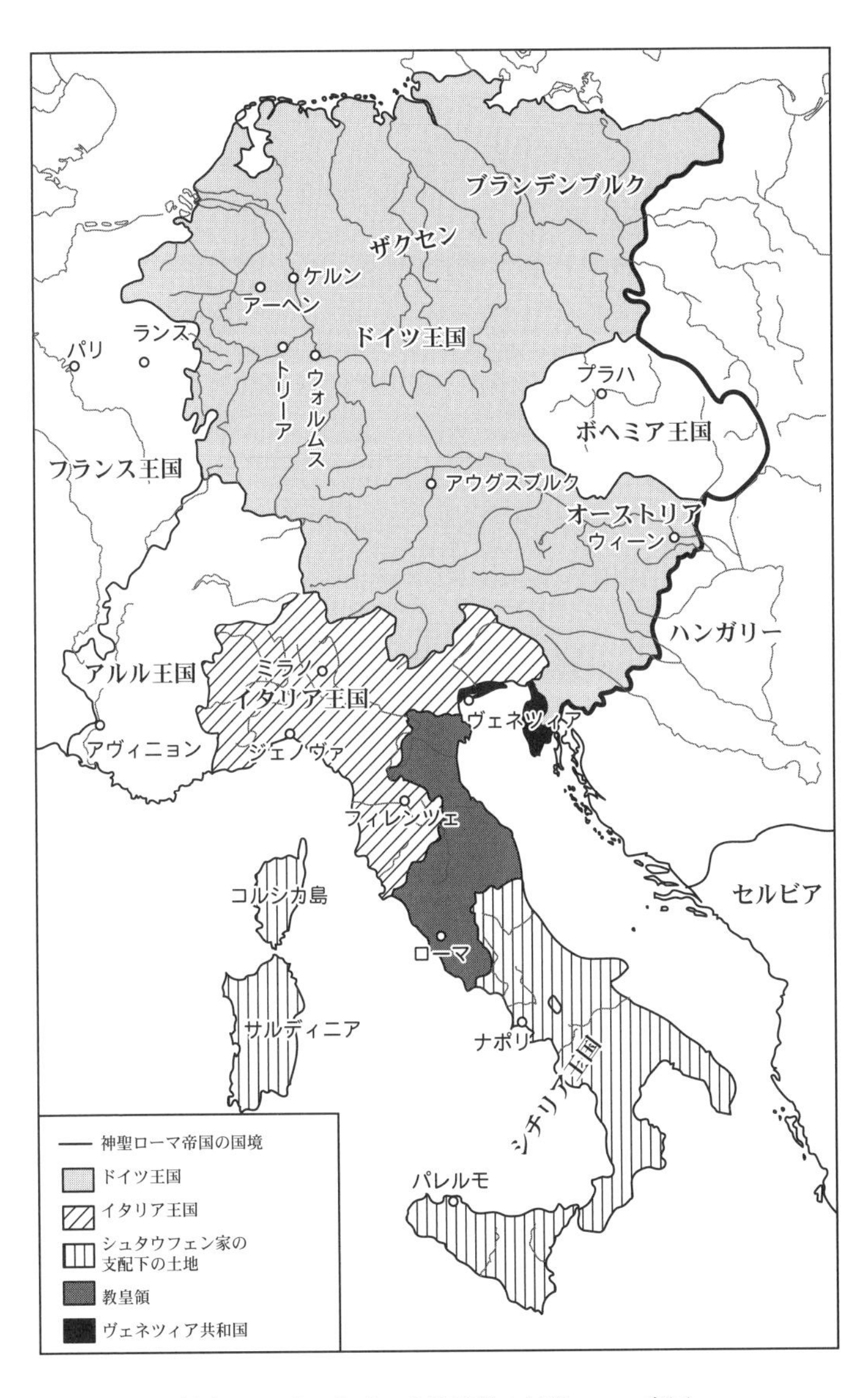

地図８　フリードリヒ２世時代の神聖ローマ帝国
（参考文献、菊池『神聖ローマ帝国』より作成）

し破門されている。歴代の教皇にとって手ごわい相手となった。

　フリードリヒ二世は、一二一二年に対立王を尻目にドイツ王と称し、一二二〇年には皇帝戴冠を行なった。皇帝戴冠ののち息子ハインリヒをドイツ王としたが、かたちだけの措置で、ドイツ・北イタリア・南東フランスに加えて、南イタリア・シチリアにまで広がる大帝国の皇帝となったのである。しかも、一二二八／九年には破門の身でありながら十字軍を行ない、外交交渉でエルサレムを奪回、聖墳墓教会でエルサレム王としての戴冠式を執り行なった。

　こうしてフリードリヒ二世の神聖ローマ帝国は、遠くシチリア島や聖地エルサレムも含む「世界帝国」となった。しかし寄せ集めの帝国は脆かった。反抗的なドイツの諸侯には特権を認めねばならず、北イタリアの都市同盟は、名前だけのドイツ王に留められたことに不満をもつ息子ハインリヒの反乱に加わった。一二四四年、聖地はイスラーム側の手に落ち、翌年フリードリヒはまたも破門となった。一二五〇年、彼の死とともに神聖ローマ帝国は「大空位時代」へと向かう。西欧世界を支配する普遍的な世俗権力としての皇帝が事実上存在しない時代の到来である。フリードリヒ二世は「ラスト・エンペラー」であった。

　ドイツ、北イタリアでは諸侯・都市の抵抗があり、遠いエルサレムも失ったが、本拠地と言ってよいシチリアでは、フリードリヒ二世のもとで、在地の勢力を抑えて官僚による中央集権的な支配体制が整い、法体系や財政機構も整備された。シチリア王国は近代国家の萌芽といわれることもある。先に紹介した「モーセ、キリスト、マホメットは世界三大詐欺師だ」という宗教批判の言葉や、破門をものともしない精神も含めて、フリードリヒ二世は「ラスト・エンペラー」であると同時に、「玉座に位した最初の近代的人間」（J・ブルクハルト『イタリア・ルネサンスの文化』）でもあった。

「大空位時代」から『金印勅書』へ

一二五〇年のフリードリヒ二世の死でもって、神聖ローマ帝国の歴史は、大空位時代と呼ばれる新たな段階へと進む。いつから大空位時代とみるかについては諸説あるが、終わりはハプスブルク家のルドルフ一世が即位する一二七三年とされる。しかしルドルフ一世を含めて、ドイツ王となってもローマでの皇帝戴冠を行なわない、行なえない王の時代がその後も長く続いた。皮肉なことに、まさにこの大空位時代に「神聖ローマ帝国」という重々しい名称が定着するのである。

大空位時代の混乱ぶりは、ドイツ王となった人物に端的に表現されている。一二五七年、諸侯はそれぞれ別の人物を王に選んだ。国王二重選挙はこの時だけではなかったが、今回ドイツ王となったのはふたりとも外国人であった。コーンウォール伯リチャード、大憲章（マグナ・カルタ）で有名なイングランド王ジョンの次男と、もうひとりはカスティリャ王アルフォンソ一〇世である。外国人を王に選んだのは、ドイツには関心が薄く、自分たちの行動を束縛しないだろうと諸侯たちが考えたからであった。実際、アルフォンソは一度もドイツに来なかった。リチャードも、戴冠のためにアーヘンを訪れたくらいで、ドイツにはほとんどいなかった。

一二七二年にリチャードが死ぬとほどなく国王選挙が行なわれたが、ここでも諸侯は自分たちの権限を制約するような有力者を王に選ぶことを避けた。選ばれたのはハプスブルク家のルドルフであった。当時のハプスブルク家は一介の貴族に過ぎず、あなたが国王に選ばれましたという選挙結果の通知が届いた時、ルドルフは「冗談にもほどがある。そのような馬鹿げたことをおっしゃるものではない」と言ったという。

近世ヨーロッパの歴史を動かしたハプスブルク家の発展はここから始まる。しかしその歩みは順調ではなかった。神聖ローマ帝国は選挙王政を原則としつつも、実際にはオットー一世のザクセン朝以来、フリードリヒ二世のシュタウフェン朝まで、父から子へという世襲の王朝を生み出していた。ところが、ここへ来て、ドイツ諸侯は純粋な選挙王政をめざすようになる。一二九一年ルドルフ一世が死ぬと、その息子ではなく、別の、やはり弱小な貴族が王に選ばれた。このあとドイツ王＝神聖ローマ皇帝の地位はさまざまの家門のあいだを転々とする。

このような選挙王政のしくみを明文化したのが、一三五六年に皇帝カール四世が発布した『金印勅書』である。これによって定まった国制は、形式的には一八〇六年の帝国消滅まで続くことになる。カールはローマ教皇――当時教皇庁はフランスのアヴィニョンにあった――によって対立王に立てられ、現国王の死とともにドイツ王、そして皇帝となった。即位に際して教皇の主張を丸呑みしたため「坊主王」と嘲笑されたが、意外なことに『金印勅書』には、皇帝選挙の結果に対するローマ教皇の承認という文言はなかった。教皇の承認なしで、皇帝は諸侯によって創られるとの宣言である。近世ドイツの国制を定めたカール四世は、なかなか強か（したた）な人物であった。

『金印勅書』の眼目は、皇帝を選ぶ権限をもつ聖俗の諸侯――選帝侯――を定めたことであった。すでに一三世紀の法書『ザクセン・シュピーゲル』でも、皇帝を選ぶ権利をもつ有力な諸侯が挙げられ、彼らが指名した人物が皇帝となるとされていたが、『金印勅書』によって正式に七名の選帝侯が定められた。マインツの大司教が皇帝選挙会を司り（つかさど）、トリーア大司教、ケルン大司教、ボヘミア王、ファルツ伯（ライン宮中伯）、ザクセン公、ブランデンブルク辺境伯の順で投票し、最後にマインツ大司教自身が投票する。国王選挙は単純過半数で決まり、結果に従わない選帝侯は資格を失うとされた。実際、これ以降、二重選挙が生じることはなかった。

選帝侯は皇帝選挙権を確保したのみならず、裁判権・貨幣鋳造権・関税徴収権など、本来は国王のみに属すさまざまの権限も手にした。『金印勅書』が選帝侯に認めた特権は他の諸侯にも広がり、ドイツは、事実上の独立国と言ってよい地方国家、いわゆる領邦（りょうほう）国家の分立となった。神聖ローマ帝国は領邦国家の連合体と化すのである、

ドイツ国民の神聖ローマ帝国――マクシミリアン一世

選挙王政のもとにあって、選ばれた国王・皇帝は、帝国はさしおいて自分の領邦の強化に努めた。息子が帝位を継ぐ見込みはほとんどないから、帝国の支配体制を強化しても無駄である、それどころか、皇帝権を強化すれば、新皇帝の支配が我が領邦に及んで来かねない。そう判断してのことである。一四三八年にドイツ王に選ばれたアルブレヒト二世以降、代々ハプスブルク家から皇帝が出るようになっても、この傾向は変わらなかった。神聖ローマ帝国はますます実体を失ってゆく。

帝国が実体を失ってしまった時代になって「ドイツ国民の神聖ローマ帝国」という国名が確定する。この名称を公式に用いた最初の皇帝はマクシミリアン一世（ドイツ王一四八六～一五一九、皇帝一四九三～一五一九年）である。彼は父フリードリヒ三世の死とともに皇帝を称したが、ついにローマでの教皇による戴冠は行なわなかった。それ以降の皇帝も同様で、ローマへ赴き教皇から戴冠されたのはフリードリヒ三世が最後となった。

近世に正式の国号として用いられた「ドイツ国民の神聖ローマ帝国」について、ひとこと補足を加えておく。この国号は、ドイツ人こそが偉大なローマ帝国を受け継いでいるのだ、というナショナリズムの文脈で理解されたこともあった。一八七一年、ドイツ統一で誕生した帝国は「第二帝国」と呼ばれた。神聖ローマ帝国に続く、ドイツ人の新たな帝国という意味である。第一次大戦と革命でドイツ帝国が崩壊したあと、ヒトラーが「第三帝国」を唱えたこともよく知られている。

しかし客観的にみるならば、「ドイツ国民の」という修飾語は、ローマ帝国と称していても、もはや特別な国家ではなく、フランス王国、イングランド王国などと並ぶ、ドイツ人の国家に過ぎないことを表明したものといえる。ただし、同時代のイギリス、フランスでは王権が強大となり、絶対主義、主権国家への道を歩み出していたのに対して、ドイツは、中世封建国家特有の地方分権体制が、むしろ『金印勅書』などを通じて強化され、王権は弱体化、さらに名目化していた。この点でも、マクシミリアン一世の時代は画期となった。

一四九五年、マクシミリアンはヴォルムスに帝国議会を招集した。この会議が永久平和令を発布してフェーデ（私闘）を禁止し、それに代わるものとして帝国最高法院を設置したことは注目に値する。私人間の紛争を実力で解決するフェーデは、ゲルマン古代に起源があり、中世を通じて行なわれて、社会不安の要因であった。教会は早くから「神の平和運動」を通じてフェーデを禁止しようとしていたが、全面的に禁止されるのは集権的な国家が成立する近世になってからである。神聖ローマ帝国でもフリードリヒ一世はじめ、歴代の皇帝がフェーデを禁じようとし、『金印勅書』の第一七条も禁止を明記していたが、実現したのはマクシミリアン一世の時代である。

ガーナ帝国、マリ帝国
——アフリカの黒人国家

エジプトやカルタゴなど古代国家が繁栄したアフリカであるが、サハラ砂漠以南の黒人社会では国家の形成は遅く、八世紀のアラブ人の記録に出てくる「ガーナという黄金の国」がもっとも古い国家である。九世紀の記録では「ガーナ王のもとに多くの王が属している」とあり、広い地域を統合する帝国が生まれていた。この地域における国家形成を促したのは、この地に産する金を求めて、砂漠を越えてやってきたイスラーム商人との接触であった。

一一世紀以降ガーナ帝国は衰退し、一三世紀には代わってマリ帝国が成立した。ガーナ帝国からマリ帝国への覇権の交代は、金の産出地の変化が大きく関わっていた。すでにガーナ帝国において商業活動を通じてイスラーム化が進んでいたが、マリ帝国では王以下、支配階層がイスラーム教徒であった。イスラーム国家マリ帝国はさらに領土を広げ、サハラ砂漠南縁の交易都市トンブクトゥや、西は大西洋岸まで支配下においた。

マリ帝国の存在はよく知られていた。一三五二〜三年にイスラームの大旅行家イブン・バトゥータがこの国を訪ねているし、大航海時代のポルトガル人も「黄金の帝国」マリの話を伝えている。

一五世紀以降マリ帝国も衰退し、歴史から姿を消した。はるか時代を下って二〇世紀半ば、アフリカの諸民族が独立する時に、ガーナ帝国、マリ帝国の記憶が国づくりに反映された。かつてマリ帝国が存在した西アフリカに誕生した国がマリ共和国と名乗ったのみならず、ガーナ帝国の版図よりずっと南、ギニア湾に面した地域に生まれた国がガーナを国名とした。いずれも遠い過去の栄光に新しい国の未来を投影したのである。

（参考文献）川田順造『アフリカの歴史』角川ソフィア文庫、二〇二二年ただしドイツ＝神聖ローマ帝国の場合、国家権力の強化は領邦単位で行なわれた。ウォルムスの帝国議会がフェーデを禁止し、裁判による解決を定めたことも、選帝侯を先頭とする各領邦国家が裁判権をもつことを意味していた。この点に注目すると神聖ローマ帝国は、第一章「古代国家のかたち」の第二節で紹介した世界帝国をめざしつつも、同じく第三節で触れた連邦国家となったと言ってもよさそうに思える。古代ギリシアの連邦国家、アカイア同盟の指導者フィロポイメンは「最後のギリシア人」と呼ばれた。マクシミリアン一世は「最後の騎士」と呼ばれている。それぞれ時代の転換点に立った国家指導者であった。

「最後の騎士」マクシミリアン一世は軍事的には見るべき成果を挙げていない。一四九四年にイタリアに侵入してきたフランス王シャルル八世との戦い、そのさなかに生じたスイス戦争、いずれも苦戦を強いられ、スイスの独立を事実上認めることとなった。ところが、軍事的には振るわなかったマクシミリアン一世のもとで、ハプスブルク家は世界支配への道を踏み出すことになる。「戦争は他の者にさせておけ、幸いなるオーストリア（＝ハプスブルク）よ、汝は結婚せよ」と言われた婚姻政策が実を結ぶのである。しかし、近世ハプスブルク家の栄光とは裏腹に、神聖ローマ帝国は実質を失ってしまった。神聖ローマ帝国の解体については終章で述べることにして、次節では中世西欧のもう一つの国家類型である封建国家について考察する。

二、カペー朝フランス王国——封建国家の展開

カペー朝の成立

八〇〇年の「カールの戴冠」は西欧中世世界の成立を告げる事件であった。カールの大帝国は孫の代で分

裂し、東フランク、西フランク、イタリアの三王国となった。今日のドイツ、フランス、イタリア国家の原型である。東フランク王国では九六二年にザクセン朝のオットー一世がローマ皇帝を称し、ここに神聖ローマ帝国という中世国家が誕生した。第一節でみたように、神聖ローマ帝国は世界帝国を標榜したが、実現することはできず、ヨーロッパは多くの国が分立する世界となった。

少し遅れて九八七年、西フランクでもカロリング朝に代わって新たな王朝、カペー朝フランス王国が誕生した。フランス王国は、神聖ローマ帝国とは異なる国家形態をもった。中世国家の典型と言ってよい封建国家である。本節では、カペー朝フランス王国を取り上げ、西欧中世の封建国家について考察する。その際に、中世フランス王国の歴史に大きな影響を与えたイングランド王国にも言及する。

東フランクでカロリング朝が断絶したあとも、西フランクではなおカール大帝の子孫が王の地位を継承していた。しかし一〇世紀になると、伯・大公・辺境伯などと称する各地域の有力者が自立した支配を行なうようになり、西フランク王国内に多くの諸侯領が成立する。このような状況のもと、九八七年にカロリング家のルイ五世が死ぬと、西フランクの有力諸侯は集会を開き、自分たちの手で新たな王を決めることにした。選ばれたのは、カロリング家最後の王の伯父ではなく、諸侯のひとり、パリ伯ユーグ・カペーであった。このあと一三二八年まで続くカペー王朝の成立である。

「万世一系（ばんせいいっけい）」という考えに馴染（なじ）んでいる日本人には、選挙によって王が選ばれることに違和感があるかもしれないが、世界史ではしばしば見られた王位継承法である。神聖ローマ帝国がそうであったし、ビザンツ皇帝も選挙で選ばれる——元老院・軍隊・市民の歓呼——のが原則であった。ただし、ビザンツ帝国においては、帝位の世襲をはかるべく共同皇帝の制度が生まれた。在位中の皇帝が形式的な選挙をふまえて息子を共同皇帝に指名し、皇帝の死後はただちに共同皇帝が即位するというしくみである。国家の要である皇帝の選出に、実力主義の選挙制と安定した世襲制を組み合わせたところに、一〇〇〇年に及ぶビザンツ帝国の存続があり得たといえよう。

諸侯の推挙で即位したユーグ・カペーも、王位を代々カペー家に確保すべく、即位後まもなく息子ロベールを共同王としているが、それだけでは王としての権威を確立するのに充分ではなかった。カペー家歴代の王は、支配の正統性、王としての適格性を主張するためさまざまの方法をとった。

王権の正統性

西欧中世において王権の正統性の根拠とされた要因が三つあった。ひとつはゲルマン人の伝統的な観念である王の血統である。フランク王国において、メロヴィング王朝の王たちが実権を失い、まったく名目的な存在となってもなお崇(あが)められたのは、クローヴィスの子孫という血統のもつ犯しがたい神聖性にあった。カール大帝の血統も同様であった。

王の正統性、適格性を保証する第二の要因はキリスト教である。カロリング家のピピン(三世)が王位を簒奪する際に錦の御旗としたのは、ローマ教皇の権威であった。七五一年の貴族会議においてピピンは教皇の言葉を掲げて、メロヴィング家の王の廃位とみずからの即位を実現させたのである。さらに三年後にはローマ教皇から塗油(とゆ)された。旧約のサウル、ダビデにちなむ塗油は、聖職者の叙任にあたって行なわれる儀式であり、王を神につながる聖なる存在へと高めるものであった。

第三の要因は古代ローマ帝国の伝統である。フランク王クローヴィスはコンスルという称号を帯び、ピピン三世は王位簒奪を正当化するため、ローマ教皇から塗油を受けたのみならず、パトリキウスにも任じられている。その息子カールは皇帝（インペラートル、アウグストゥス）となった。いずれも古代ローマに由来する称号である。代々のドイツ王がローマ皇帝と称したのも同じことである。

ゲルマン人・キリスト教・古代ローマという要因は、「ヨーロッパの父」カールの皇帝戴冠が語るように、西欧中世世界の構成要素そのものである。この世界の政治的指導者である王たちにこの三つの要素が体現されるのは当然であろう。しかし三つの要素のうち、いずれに比重をおくのかという点で、国ごとにかなりの違いがみられる。カペー朝フランス王国はどうだっただろうか。

まず血統という点で、カペー家はカロリング家との直接的な血のつながりはない。カペー朝初期の王たちが血統に基づいて王権の正統性を主張することは難しかった。婚姻などを通じてカロリング家とのつながりを求め、ようやくフィリップ二世（在位一一八〇～一二二三年）の時代になって、カペー家はカール大帝の血筋を引くと広く認められるようになったのである。また古代ローマの伝統という点でも、確かにユーグ・カペー以下初期のフランス王たちは、アウグストゥスと名乗るなど皇帝としての権威を示そうとしたが、すでに東フランク（ドイツ）のオットー一世が「ローマ皇帝」戴冠をしており、カペー家の及ぶところではなかった。

血統、古代ローマの権威のいずれにおいても正統性を強く示せなかったカペー朝は、キリスト教という要因に比重をおくことになる。ユーグ・カペーは九八七年の諸侯会議において、ランス大司教の推挙を受けて王に選ばれた。このあと歴代の王はランスの大聖堂で即位式を行ない、その際に塗油の儀礼を受けている。さらに即位儀礼の一環として病気治療の奇蹟を演じるなど、神につながる支配者を謳（うた）い上げることに努めた。

封建国家としてのフランス王国

選挙で選ばれたこともあってカペー王朝は支配の正統性を示すために、王の神聖化をはかるべく、塗油などさまざまの宗教儀礼を導入した。しかし新王朝が抱えていた課題はそれだけではなかった。権威のみならず権力の面でも弱体だったのである。王の支配が及ぶ地域はきわめて狭く、パリ盆地を中心とする北フランスの一部のみで、国土の大半は諸侯の領地であった。西欧中世の封建国家において、諸侯は形式的に国王のもとにあるが、事実上独立の支配者であり、諸侯領に王の実効支配は及ばなかった。近・現代の主権国家とは異なり、公権力が一元化しておらず、諸侯によって分有されているのが西欧中世国家の特徴である。

とりわけカペー朝フランス王国は王権が弱く、諸侯の力が強かった。そもそも諸侯たちに担がれてユーグ・カペーは王となったのである。しかも初期カペー王朝の時代、すなわち一一世紀は「城主の時代」と呼ばれるように、王領においても諸侯の領内でも、城をもち、独自の支配を行なう城主層の抬頭が著しかった。公権力は王・諸侯のあいだで分有されていただけではなく、城主層によってさらに細分化されていった。軍事力、裁判権をもつ城主が支配する領域、城主支配圏（シャテルニー）は中世社会を構成する基本単位であった。

このようにみると、無政府状態ともいうべき状況のように思えるが、西欧中世は何の秩序もない無法の世界ではなかった。自立的な諸侯・領主をまとめ、ひとつの国家を形成する原理となったのが封建制（レーエン制）である。封建制とは、封土（ほうど）（レーエン）の授受を媒介として主君と家臣のあいだで結ばれた主従関係をいう。ただし「君、君たらずとも、臣は臣たらざるべからず」という中国や日本の主従関係とは異なり、主君と家臣は双務的な契約関係にあり、かつ臣下は「二君にまみえず」ではなく、複数の主君をもつことができた。封建制を通じて王を頂点に緩やかにまとまる政治組織を封建国家と呼ぶ。カペー朝フランス王国は典型的な封建国家である。

封建制と王権の関係については対照的なふたつの見解がある。封建制は王権による統一的な支配と相容れない、基本的に矛盾するとする考えと、逆に、主従関係は必然的に最高の主君である国王を生み出すという理論である。いずれの見解も事実の一面を言い当てており、一定の条件のもとで封建制が統一的な王権を生み出すと考えるべきであろう。先にみた王の超越的な権威もその条件のひとつである。王に超越的な権威があってこそ、諸侯・城主勢力の分裂に至りかねない封建制を、国家統合の原理とすることが可能となった。

封建制は、公権力を独占する近代の主権国家とは異なるが、ある段階までは封建制のもとで王権の強化、国家の統一が進んだことも確かである。その時代を中世と呼ぶべきだと思われる。そう考えれば、王権をさらに強化するために封建制を否定し、いわゆる絶対王政を実現する時期が近世ということになる。

当初きわめて弱体だったフランス王権は次第に強力となり、百年戦争をはさんで、近世にはルイ一四世太陽王（在位一六四三～一七一五年）にみられるような専制的な支配体制となる。以下、中世フランス王国における王権の強化、国家的統一の過程を具体的にたどるが、それに先立って、もうひとつの封建国家イングランド王国について述べておく必要がある。カペー朝が諸侯を統制して王権を強化する過程が、英仏百年戦争を含む複雑なものとなったのは、諸侯のなかにイングランド王がいたからである。

ノルマン朝イングランド王国

五世紀半ば頃からブリテン島にゲルマン系のアングル族、サクソン族が侵入し、五五〇年頃に今日のイングランド地域に「七王国」と称される支配を樹立した。ウェセックス王国などと呼ばれているが、その実態は豪族支配体制であった。辺境のイングランドは統一国家の形成が遅れ、八世紀末のカール大帝による西方世界の統一にも含まれなかった。

九世紀に入って七王国の統合が進展する。世紀の前半にはウェセックス王エグバードが諸王国にウェセックスの覇権を認めさせ、後半にはその孫アルフレッド大王（在位八七一～八九九年）が政治・軍事の改革に加えて、法典の編纂も行ない、国家的な統一を進めた。続く一〇世紀にはエドガー王（在位九五九～九七五年）が塗油を受け、イングランド王としての権威を帯びて統一を完成させた。

イングランド王国と呼べる政治的なまとまりが成立するにあたっては、ヴァイキング（ノルマン人）の影響が大きかった。九世紀以降、ブリテン島にも北欧からデーン人を中心とするヴァイキングが侵入してきた。外敵との戦いを通じてイングランド王国が成立したのである。アルフレッドが大王と呼ばれたのも、ヴァイキングと戦いつつ王国の統一を進めたからに他ならない。

しかしその後もデーン人の侵入は続き、一〇一六年にはデンマーク王子のクヌーズ（クヌート、カヌート）がイングランド王となった。クヌーズはその二年後に兄からデンマーク王の地位を継承し、二八年にはノルウェーも征服して「北海帝国」を樹立するに至った。

北欧世界に帰属するかと思われたイングランド王国の歴史を大きく変えたのが、一〇六六年のノルマン征服（ノルマン・コンケスト）である。クヌーズ大王の死後、混乱の続いたイングランド王国で、王位継承をめぐる国際的な対立が生じた。王位を争ったのは、アングロ・サクソン系の王族ハロルド、ノルウェー王ハーラル、そして北フランスのノルマンディ公ギヨーム（ウィリアム）であった。いち早く王を名乗ったハロルドはノルウェー王の侵入は撃退したものの、ノルマンディ公とのヘイスティングスの戦いに敗れて戦死した。

ここにウィリアム一世に始まるノルマン朝イングランド王国（一〇六六～一一五四年）が誕生する。

イングランドを征服したノルマンディ公はフランス王国の諸侯のひとりで、九一一年に西フランク王の了解のもと、北西フランスを領有したヴァイキングの首領ロロの子孫である。フランスの諸侯が新たな王朝を開いたことはイングランドの歴史に大きな影響を与えた。イングランドは西欧世界に帰属することとなった。征服に貢献したノルマンディの貴族・騎士はイングランドに封土を分与され、大陸の封建制が導入された。ただし、王権が弱体なカペー朝フランス王国とは異なり、征服者である王の力が強い、いわゆる集権的封建制となった。イングランド王権の強さを示すのが、全国的な検地帳であるドゥームズデイ・ブックの作成である。

逆にフランス王国にとっても、諸侯のひとりがイングランド王になったことは、王権を強化し国家統一を進めるにあたって、大きな影響を受けることとなった。しかも一二世紀になると両王国の関係はさらに複雑な様相を呈するようになる。

アンジュー帝国の成立——英仏の王妃アリエノール

ウィリアム一世征服王の没後、三人の息子のあいだで争いが繰り返された。兄たちの死によってイングランド王かつノルマンディ公となったヘンリー一世（在位一一〇〇～一一三五年）は、息子に先立たれると、娘マティルダを西フランスのアンジュー伯に嫁がせた。アンジュー伯は九八七年にユーグ・カペーを推戴した有力諸侯であり、ヘンリーは生まれてくる男子を跡継ぎにと考えたようである。

一一三五年にヘンリー一世が死ぬと、甥のスティーヴンがロンドン市民の支持のもと即位し、マティルダとのあいだで王位争いが生じた。長い混乱は一一五四年のスティーヴンの死で終わり、マティルダの息子で、父の跡を継いでアンジュー伯となっていたアンリが、ヘンリー二世（在位一一五四～一一八九年）としてイングランド王となった。ノルマン朝に代わって成立した新王朝は、アンジュー家の紋章にちなんでプランタジネット（金雀枝）王朝と呼ばれる。こうして大陸とブリテン島にまたがる広大な地域が、ヘンリー二世の領有するところとなった。アンジュー帝国である。

英仏の王妃　アリエノール

アンジュー帝国はどんな国家だったのだろうか、王朝を開いたヘンリー二世の妃アリエノールに焦点を当ててみてゆこう。「世界の薔薇」と称えられたアリエノールはアキテーヌ公の娘である。アキテーヌ公も九八七年のユーグ・カペー推戴諸侯のひとりで、南西フランスに広大な領地を有していた。一二世紀前半のアキテーヌ公ギヨーム一〇世には男子がなく、娘アリエノールが相続人であった。ギヨームは遺言でフランス王ルイ六世を娘の後見人に指名した。ことのほか領主・城主の独立性が強いアキテーヌ公領を娘がしっかり保持できるよう、有力な後見人を選んだのである。こうして一一三七年、一五歳のアリエノールはルイ六世の息子で同名のルイ七世と結婚し、広大なアキテーヌ公領が嫁資（持参金）としてフランス王のもとに入ることになった。

ルイ七世との結婚から一五年、一一五二年に夫婦は離婚した。ふたりが血縁関係にあり、教会の禁じる近親婚だったとして、遡って婚姻を無効としたのである。しかし誰もそのような説明を信じなかったであろう。本当の理由は、跡継ぎの男子が生まれなかったからだと思われるが、当時からもうひとつの理由が囁かれていた。アリエノールの不倫である。ルイ七世は、一一四七年に始まった第二回十字軍に参加するにあたって妃を同行させた。遠征先でアリエノールは叔父のアンティオキア公レーモンと恋に落ちたという。R・グルッセ『十字軍』は本論から逸れて、叔父と姪の道ならぬ恋を記している。

いかにも、王妃は浮気性のあだっぽい女で、夫にくたびれていた。オリエントの幻惑に彩られてまだ若々しい叔父のほうが、垢抜けした恋の相手に見えたのか。とにかく王がエルサレム行きの十字軍に従うことをうながすと、彼女はレーモンのかたわらにとどまって、王とは離婚するつもりであると言いだした。

帰国後まもなく国王夫婦は離婚する。アリエノールはすぐに再婚した。相手は一一歳年下のアンジュー伯アンリである。アリエノールとの結婚の二年後、アンリはイングランド王ヘンリー二世となった。フランス王妃だったアリエノールがイングランド王妃となったのである。

アリエノールの離婚・再婚によって、南西フランスの広大なアキテーヌ公領がフランス王の手を離れ、イングランド王のもとに移ったことは、フランス王国にとって大きな損失のようにみえる。しかし実際にはほとんど変化がなかったと言ってよい。ヘンリー二世はノルマンディ、アンジューをフランス王から封土として受けとっており、王に臣従礼を行なっていた。しかも、アリエノールが持っているアキテーヌ公領を実際に支配しているのは、公領内の領主たちであった。それゆえフランス王にとって、アキテーヌ公領がアリエノールの嫁資として王家にもたらされたものであろうが、臣下であるヘンリー二世の領地であろうが、ほとんど違いはなかった。ここにも、排他的な領土や明確な国境線をもつ近代国家とは異なる中世国家の姿が窺える。

このような状態を克服して王権による統合が、まずは封建制の枠内で、さらには絶対王政というかたちで進み、フランスは中世国家から近代国家へと向かう。次に、国家統合の阻害要因であったアンジュー帝国との関係を、アリエノールの息子でプランタジネット朝第二代の王、リチャード一世獅子心王（在位一一八九～一一九九年）を通じてみてゆこう。

アンジュー帝国の盛衰――リチャード一世獅子心王

一一五四年にイングランド王となったヘンリー二世は、大陸のノルマンディ、アンジュー、アキテーヌも領有しており、さらにフランス西部のブルターニュ公領、ブリテン島ではウェールズ、スコットランドにも勢力を広げた。こうして「スコットランドからピレネーまで」を支配下においたが、アンジュー帝国はきわめて不安定な組織であった。そもそもが公領・伯領の寄せ集めであり、かつそれぞれの領内には独立性の強い城主たちが割拠していたからである。

ヘンリー二世は息子たちにアンジュー家領を分与し、統治させようとした。アンジュー帝国をまとめているのは、フランス王国のような封建制ではなく、アンジュー家の血縁・家族関係であった。ところがアンジュー家では家族のあいだに対立・抗争が絶えなかった。一族の内紛に、主君であるフランス王が介入し、アンジュー帝国下の公領・伯領に王権を浸透させようとしたため、混乱はさらに深まった。

アンジュー家が領有する大陸の公領・伯領は、次男（長男は早世）の若ヘンリーがノルマンディとアンジュー、三男リチャードはアキテーヌ、四男ジョフロワがブルターニュと、息子たちに分与され、兄弟は主君であるフランス王に忠誠を誓った。末子ジョンには分け与える領地がなかった——「欠地王」のいわれ——ので、ヘンリー二世は、若ヘンリーをイングランド王国の共同王（王位継承者）とした際に、一門の故郷アンジュー伯領の一部をジョンに譲るよう命じた。この措置に不満をもった若ヘンリーは、フランス王ルイ七世の支援を受けて父と戦うに至る。弟のリチャード、ジョフロワも父に背き、母アリエノールも全面的に息子たちを支援した。

アンジュー帝国の脆さが露わになったが、ヘンリー二世は軍事力にものをいわせて息子たちの抵抗を抑え込み、フランス王との関係を回復することに成功した。夫に背いたアリエノールはイングランドに幽閉の身となり、お気に入りの息子リチャードが統治する故郷のアキテーヌを訪れることも許されなかった。

一一八三年、次のイングランド王に指名していた若ヘンリーが死ぬと、ヘンリー二世は三男のリチャードを王位継承者とした。王位と引き換えに、弟ジョンにアキテーヌを譲るよう命令されたリチャードは強く反発した。リチャードが父の命令を拒否した理由は、アキテーヌは母アリエノールから受け継いだと考えていたことに加えて、アキテーヌ公領内の領主層を抑えて、ようやく実質的な領地としつつあったからである。リチャードの公領制圧は、一一世紀の「城主の時代」を経て、次第に諸侯が領内に実効支配を及ぼすようになる、すなわち西欧世界が政治的分裂から統合へ向かう第一歩であった。

アンジュー家の親子の争いに今回もフランス王が介入した。ヘンリー二世は、前回のような逞しさをみせることはなく、息子リチャードとフランス王フィリップ二世の連合軍に敗れた。最愛の末っ子ジョンまでもが、リチャードやアリエノールの側についたと知らされ、ヘンリーは失意のうちに死んだ。

一一八九年リチャードがイングランド王となった。アキテーヌの領主層を抑え込んだことにもみられるように、リチャードは優れた武人であった。騎士道の理想に燃え、一〇年の在位期間のうち、イングランドにいたのは六カ月ほどで、国内外での戦争に明け暮れていた。即位してすぐに十字軍への参加を申し出て、戦費はロンドンを売りに出して捻出すると言ったという。神聖ローマ皇帝フリードリヒ一世バルバロッサに遅れること一年、フランス王のフィリップ二世と相前後して聖地へ向い、フィリップが帰国したあとも、リチャードは単独で戦い続けた。相手はサラディン、十字軍からエルサレムを奪回したイスラームの英雄である。サラディンに包囲された港町ヤッファの救援作戦を、グルッセ『十字軍』は次のように描いている。

リチャードは船の陸づけを待ちきれず、楯を首に、デンマーク斧を手にしたまま、海中に飛びこみ、腰まで水につかりながら、岸辺に這いあがった。彼は敵兵をなで斬りにしてから、都市に入ると、敵の群れを片端から殺しまくり、味方の守備隊と組んで、サラディンの軍に襲いかかるが早いか、その陣地を占領して、サラディンをヤーズールに追いやった。

勇猛な戦いぶりから、リチャードは獅子心王という綽名(あだな)をもらった。軍事的な成功を背景にサラディンと協定を結び、ようやく帰途についたが、途中でオーストリア公に捕えられ、帰国はさらに遅れた。その間にフィリップ二世は仏国内のアンジュー家領を次々と奪いとっていった。危機感をもったアリエノールは、多額の身代金を工面してリチャードの解放を急いだ。

釈放され帰国したリチャードは、留守中にフランス王に奪われた地域の奪回に専念した。九四年春の帰国から死ぬまでの五年のうち、イングランドにいたのは二カ月足らずで、ノルマンディ、アンジュー、アキテーヌと大陸を転戦している。ノルマンディ防衛のために建てた、セーヌ川を見下ろすガイヤール城は、リチャー

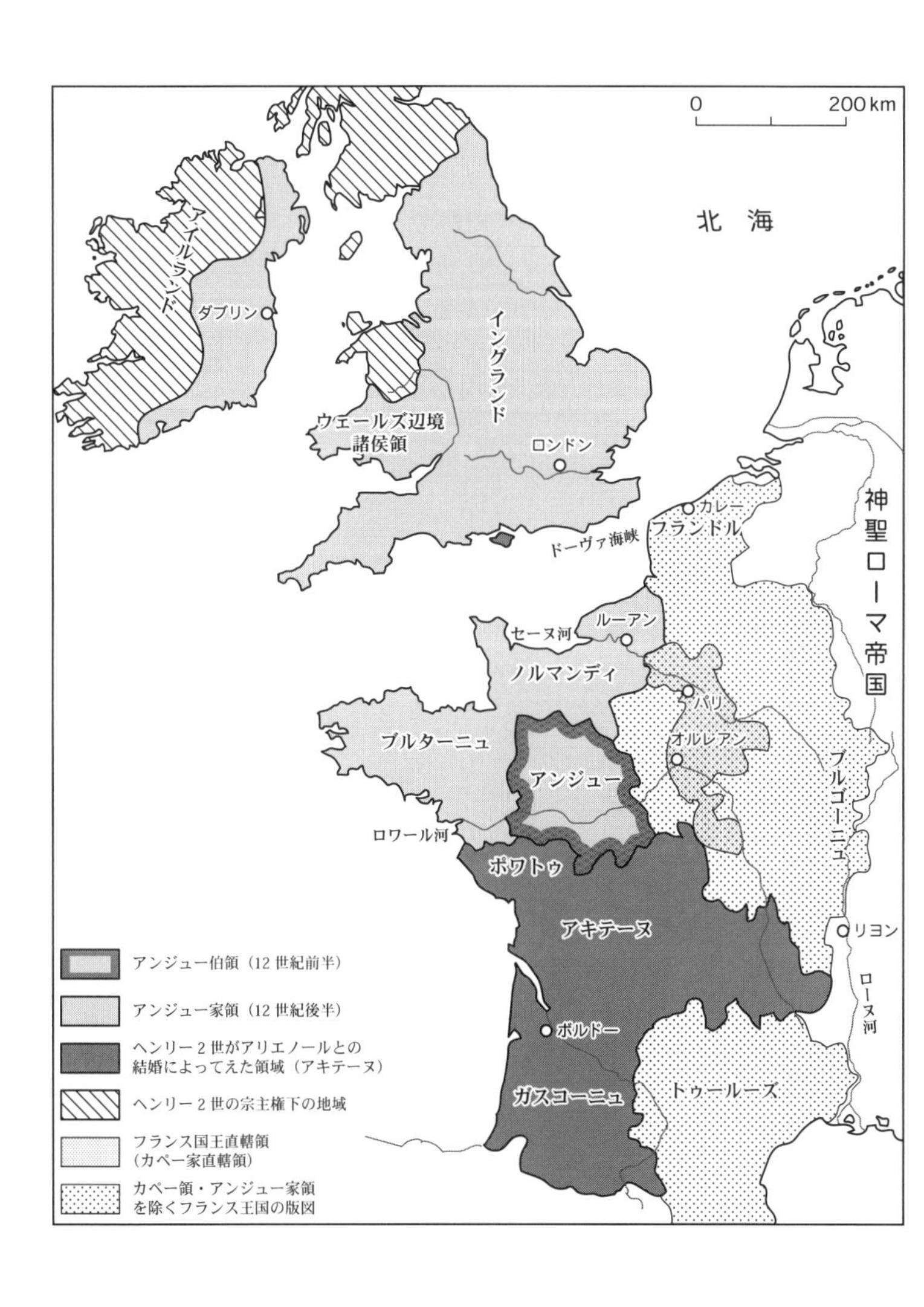

地図 9　12 世紀のフランス王国とアンジュー帝国
（参考文献、城戸『百年戦争』より作成）

ドの反撃の象徴である。獅子心王の武勇によってアンジュー帝国はよみがえった。ところが一一九九年春リチャードが戦死する。

アンジュー帝国の解体――フィリップ二世尊厳王

リチャード一世が死ぬと、弟のジョンがアンジュー家の当主となり、イングランド王位を継承した。ジョン欠地王（在位一一九九～一二一六年）の即位当初、フィリップ二世はフランス西部に広がるアンジュー家領をジョンが領有することを認めていたが、まもなく王領の拡大策を再開する。ジョンの結婚に伴う紛争に介入したフィリップ二世は、主君としてジョンを法廷に召喚し、出頭を拒否されると、仏国内にあるアンジュー家の領地の没収を宣言した。封建制にもとづく主君の権利の行使であった。しかし権利に効力を持たせるためには、王という権威のみならず、実力が必要である。フィリップは武力攻撃に出て、一二〇四年にはガイヤール城を落とし、ノルマンディー、アンジューなどを制圧した。

同じ年にアリエノールが死んだ。八〇歳を過ぎていた。彼女の死をきっかけに、アキテーヌ公領もかなりの部分がアンジュー家を離れた。アキテーヌの領主たちが、リチャードの公領経営に不満をもちつつもなおジョン王のもとにいたのは、外国の君主であり、自分たちの独立性が確保できることに加えて、もとの主君、公女アリエノールの存在も与（あずか）っていた。ジョン王の無能ぶり、アリエノールの死によってアンジュー家と袂（たもと）を分かつ決意したようである。ヘンリー二世が相続と結婚によって創り上げ、リチャード一世が軍事力で維持していたアンジュー帝国はここに事実上解体した。

アンジュー帝国の解体はフランス王権の強化でもあった。リチャード一世やジョン王と争ったフィリップ二世はその立役者である。この間の経過をフィリップ二世の側から振り返ってみよう。

フィリップはアンジュー家の内紛を王権の拡大に利用した。リチャードが父ヘンリー二世と争った時にはリチャードを支援し、改めて忠誠の誓いを受けている。さらに十字軍も巧みに利用した。リチャードとフィリップの率いる英仏連合軍は、一一九一年七月に聖地の港町アッコンに入城した。ここを拠点にエルサレム奪回に向かうはずだったが、フィリップ二世はリチャードを残してさっさと帰国した。十字軍に参加したというかたちが整えば充分であり、十字軍よりも大切なことが国内にあると判断したのである。騎士道の理想に燃え、聖地で戦い続けた武人リチャードに比べて、フィリップは冷静な政治家であった。

いち早く帰国したフィリップ二世は、英王の不在を利用して、フランス国内の英領への攻撃を開始する。ローマ教皇の提唱に従いフィリップも、十字軍に参加している者の財産をその留守中に犯さないと誓約していたが、リチャード一世が帰国の途中でオーストリア公に捕らわれの身となると、イングランド王の不在は十字軍によるものではないと主張し、国内のアンジュー家領を攻め取った。帰国したリチャードによって占領地をすべて奪回されたが、続くジョン王からノルマンディ、アンジューなどを奪い、フランス王の支配が北西フランス一帯に及ぶようになった。

フィリップ二世の時代は、フランス王の支配地域が広がっただけではなく、王の権威・権力の強化という点でも画期をなしている。ようやくカール大帝との血縁関係が広く認められるようになったので、フィリップ二世は息子を共同王とするまでもなく、カペー家による王位継承を確保できた。王の祝聖（しゅくせい）儀礼が整ったのも、パリが名実ともに首都となるのもこの時期であった。直轄地に対する支配を確立してゆくとともに、王が各地を巡行する「移動宮廷」の時代は終わり、パリに滞在する期間が長くなった。フィリップ二世はセーヌ川のシテ島の王宮を増築し、右岸にルーブル城館を建てた。都が固定するのと並行して、中央の行政機構の整備も進んだ。

このあと、これまで独立の世界と言ってよい状態だった南フランスにも王権が浸透してゆく。きっかけは、この地域に広がっていたカタリ派異端に対する十字軍（アルビジョワ十字軍）である。教皇インノケンティウス三世が提唱した十字軍に対して、フィリップ二世は参加をためらったが、続くルイ八世は大軍を率いて南下し、一二二六年、カタリ派異端の広がっていたトゥールーズ伯領を制圧した。

一三世紀の英仏関係――百年戦争への道

大陸の主要な領邦を失ったジョン王は、ローマ教皇や神聖ローマ皇帝と結んでフィリップ二世に抵抗したが、一二一四年にブーヴィーヌの戦いに敗れた。それでもなおジョン王がアンジュー帝国の再建をめざしていたことは、敗北の翌年にイングランドの貴族たちから承認を求められた『大憲章』への署名に窺える。彼は「イングランド国王、アイルランド領主、ノルマンディおよびアキテーヌ公、そしてアンジュー伯であるジョン」と名乗っている。

こうして大陸の領地をめぐる英仏王の争いは続いた。ひとまず決着がついたのは一二五九年のパリ条約である。ジョン王の跡を継いだヘンリー三世がフランス王ルイ九世と結んだ同条約の内容は次の通りである。

（1）ヘンリー三世は、ノルマンディ、アンジューなど北西フランスの領地を放棄する。

（2）ヘンリー三世は、アキテーヌ公としてガスコーニュ（アキテーヌ公領の南西部）をフランス王から封土として受け取る。

パリ条約によってアンジュー帝国は正式に解体したが、イングランド王がなお南西フランスに封土を有し、フランス王の臣下であるという状態は続いた。

このあとイングランド王の領有するガスコーニュをめぐって英仏の対立が再び激しくなる。仏王フィリップ四世（在位一二八五～一三一四年）は英王エドワード一世がもつ封土を没収し、逆にエドワードは仏王への忠誠誓約を解消する事態となった。両者の対立は一二九四年からのガスコーニュ戦争となる。戦いはフランス側が優勢で、ガスコーニュの各地を占領した。しかし英王はローマ教皇を巻き込むなど外交策を展開し、一三〇三年に和約が成立した。その内容は先のパリ条約とほぼ同じである。（1）イングランド王は代理人を通じてフランス王に臣従礼を行なう。（2）フランス軍が占領したガスコーニュの地を英王に返還する。なんとか封建制の枠内で事態を収拾したものといえよう。

今回の和約には両王室間の婚姻――イングランド王太子エドワードとフィリップ四世の娘イザベラの婚約――も含まれていたが、信頼関係は構築されなかった。むしろこの婚姻がもととなって、両者の対立は、ガスコーニュ地方の帰属問題からフランス王位をめぐる争いへと拡大し、英仏百年戦争となる。

フランス王国の封建的分裂、国家権力の分散は、一一世紀の「城主の時代」を経て、一二世紀以降、次第に統一へと向かった。その最初の画期と言えるのが、先にみたフィリップ二世の時代であり、続く画期がこのフィリップ四世時代である。ここに至って王は名実ともに王国の最高君主となった。それを語るのが、この時期に成立した「王は王国内における皇帝である」という法格言である。自分は皇帝であるという仏王の主張は、神聖ローマ帝国に対しては効果はなかったが、国内の諸勢力を統制する大義名分となった。王国内の諸侯領からの上訴を、パリの高等法院が最高法廷として審理するというかたちで、国王の裁判権が全国に

日本の中世国家――「権門体制論」と「東国国家論」

国家が明快な姿を示さないのが中世の特徴である。日本の場合も、古代が律令制、近世が幕藩制と明快に定義されるのに対して、中世国家についてはさまざまの見解がある。諸説あること自体、日本でも中世国家は曖昧な存在だったことを語っている。対立するふたつの有力な学説、「権門体制論」と「東国国家論」を紹介しよう。

「権門体制論」は以下の二点にまとめられる。(1)公家・武家・寺社という性格の異なる三つの権門がそれぞれ独自の家政機関を有して、文書を発給し、荘園を管理、すなわち農民を支配している。(2)三つの権門は天皇のもとで行政・軍事・宗教を分担し、全体としてひとつの国家を構成している。

これに対して「東国国家論」は武家の鎌倉幕府を独自の国家とみなす。古代の律令国家が変質した官司請負制に基づく京都の公家政権(王朝国家)と、主従制という新たな原理に基づく鎌倉の武家政権(東国国家)、二つの中世国家が並立していたとする見解である。

西洋中世国家はローマ帝国の伝統とゲルマン人の軍事力が出会ったところに生まれたが、日本の場合も、古代的な統治体制である律令制の変質と、新たな制度である主従制の導入のなかで中世国家が形成された。問題は、ふたつの原理がひとつの国家のもとで統合されたのか、それとも別々の中世国家を創ったのか、に集約されると思われる。

中世国家のあり方は、鎌倉時代の日本の首都はどこかという問題にもつながる。古代ペルシア帝国や神聖ローマ帝国のように、日本も複数の都をもった時代があったのかもしれない。

(参考文献)黒田俊雄「中世の国家と天皇」『岩波講座日本歴史6』、一九六三年。佐藤進一『日本の中世国家』岩波文庫、二〇二〇年(一九八三年)

及ぶようになったのである。ただし、イングランド王のもとにあるガスコーニュの領主たちは、どちらの上級裁判権に服すべきか、決めかねていたようである。

フィリップ四世のもとで祖父ルイ九世（在位一二二六～一二七〇年）の列聖が実現する。祖先に聖人をもつこととなって、キリスト教に支配の正統性を求めるというカペー王朝の政策は達成された。フランス王国の統合をめざしたフィリップ四世は、教会に対する統制も強めた。教会への課税をめぐってローマ教皇と対立すると、一三〇二年、最初の三部会――聖職者・貴族・市民の代表からなる身分制議会――を招集し、諸身分の支持を確保したうえで、翌年教皇を捕えて監禁した（アナーニ事件）。さらに一三〇九年には教皇庁を南フランスのアヴィニョンに移した。ここにもフランス王権の強化が認められる。

フィリップ四世の時代に封建国家が確立したと言ってよいが、その後まもなく、ユーグ・カペー以来、王位を継承してきたカペー家の直系が絶える。一三二八年に傍系のヴァロワ伯がフィリップ六世として即位した。ヴァロワ王朝の成立後ほどなく、フランス王位をめぐって英仏百年戦争が始まり、両国は近代国家への第一歩を踏み出すことになる。

三、英仏百年戦争――新しい時代へ

百年戦争の勃発

第一節、第二節でみたように、中世にはドイツ、イタリアという国家はまだ存在していない。神聖ローマ皇帝がドイツから北イタリア一帯に君臨していた。今日のようなイギリス、フランスもない。イングランド王がフランス国内に広い領地をもっていた。

中世末になると、神聖ローマ帝国はイタリアの大部分を失い、「ドイツ国民の」神聖ローマ帝国となってゆく。フランス王国はイングランド王から王国内の封土を回収し、実体としてもほぼ今日のフランスの輪郭をもつようになった。前節でみたように、その過程は一二世紀末〜一三世紀初めのフィリップ二世のもとで大きく進み、これから詳しく述べる百年戦争（一三三七〜一四五三年）によって完成に至る。長期にわたった英仏間の戦争の天王山となったのが、一四二九年四月末〜五月初のオルレアン攻防戦であり、戦いの帰趨を決めたのは、まだ十代の少女ジャンヌ・ダルクの活躍であった。本節ではジャンヌ・ダルクに焦点を当てつつ、近代国家への道を明らかにする。

開祖ユーグ・カペー（在位九八七〜九九六年）以降、奇蹟的ともいえる父子直系による王位継承を続けてきたカペー王朝も、フィリップ四世のあと順調にゆかなくなった。一三一四年にフィリップ四世を継いだ長男のルイ一〇世は、在位二年足らずで、身重の妃を残して死んだ。王には四歳の娘がいたが、女子には王位継承権がないとの声が上がり、玉座は空位のまま、王妃の出産を待つことになった。はるか昔、フランク王クローヴィスのもとで編纂された『サリカ法典』に「位階の継承は男子に限る」とあるのを王位継承に適用したのである。女子の王位継承権を否定した結果、フランスには女王がひとりも現われないことになる。

父の死から五カ月後に生まれた男児は、誕生と同時に国王（ジャン一世）となったが、この世にいたのはたった六日であった。ここにユーグ・カペー以来の直系継承は途絶え、王位は一世代戻って、死んだ嬰児ジャン一世の叔父たち、つまりフィリップ四世の息子で、ルイ一〇世の弟であるフィリップ五世、シャルル四世へと移った。

一三二八年シャルル四世が男子を残さずに死んだ時、妃は妊娠八カ月であり、生まれてくる子が次の王になると期待された。しかし二カ月後に生まれたのは女児だったので、王位は傍系ヴァロワ家のフィリップ（六世）、カペー王朝最後の王シャルル四世の従弟に移った。ヴァロワ王朝（一三二八～一五八九年）の成立である。血縁関係からいえば、シャルルの妹イザベルの息子であるイングランド王エドワード三世の方が前王に近かったが、さしあたっては継承権を強く主張することはなかった。女系であることに加えて、フランス王との連携が必要な問題を抱えていたからである。エドワードはフィリップ六世に臣従の礼をとり、ガスコーニュの領有を確保した。

しかしながら、まもなくガスコーニュに加えて、スコットランドやフランドルをめぐる英仏の対立が激しくなってきた。一三三七年に至って、フィリップ六世は英王が保有するガスコーニュの没収を宣言し、エドワード三世は仏王に対する臣従を解消した。一二九四年から一三〇三年まで続いたガスコーニュ戦争の再現であったが、今回はエドワード三世が母方の血統を根拠にフランス王位を要求したので、英仏の全面戦争となった。

イングランドの優勢――エドワード黒太子

百年戦争は何度も休戦期間を挟みつつ一四五三年まで続いた。天王山となったオルレアン攻防戦をはじめ、戦局の転換となった重要な戦いを中心に、背景にあった両国の国内事情にも触れつつ、経過をたどってゆこう。

一三四六年七月、英王エドワード三世はノルマンディに上陸し、カレーをはじめとする北フランスの町を次々と抑えていった。続く八月にはクレシーでフランス軍との会戦に臨んだ。長弓を用いたイングランド歩兵部隊がフランスの騎士部隊を圧倒し、フィリップ六世は負傷して辛くも戦場を脱出した。騎士の時代の終わりを告げるこの戦いで名を挙げたのが、エドワード三世の息子、同名の王太子エドワードで、彼はのちに黒太子（ブラック・プリンス）と呼ばれることになる。黒太子という綽名の由来は明らかではないが、黒い鎧を纏(まと)っていたからだと言われることが多い。

このあと英仏間の戦いはしばらく小康状態となる。その大きな原因は黒死病（ペスト）の流行である。地中海の交易路を通じて一三四七年にイタリアに入ったペストは、翌年から英仏も含む全ヨーロッパに広がり、人口の三分の一が失われたと言われている。戦闘が本格的に再開されるのは、ペストが収まってからで、一三五五年にエドワード黒太子の率いる軍が西フランスの港町ボルドーに上陸し、北上作戦を展開した。

翌年、ボルドーへ引き返す黒太子の軍を、ポワティエの近郊で、ジャン二世の率いるフランス軍が襲った。数の上ではかなり劣る黒太子軍であったが、今回も長弓隊の活躍で優勢となり、ジャン王を捕えるという大戦果を挙げた。国王が捕虜となるという事態に加えて、フランスでは戦争の継続を難しくするような事件が次々と生じた。一三五八年には、北フランスでジャクリーの乱と呼ばれる農民反乱が起こり、パリでも商人組合長のマルセルが、捕囚のジャン二世に代わって政治をみていた王太子シャルル（五世）に背いた。いずれの反乱もほどなく鎮圧されたが、フランス側には打撃であった。

こうして一三六〇年、英仏間に和約が成立する。五月にブレティニで仮条約が結ばれ、一〇月にカレーで批准されたブレティニ・カレー条約は、身代金の支払いを条件としたジャン二世の釈放と、エドワード三世が仏王位を断念するのと引き換えに、アキテーヌ全域、さらにその北方のポワトゥー地方のイングランドへの割譲を定めた。ここに英仏百年戦争はひと区切りとなる。

　ジャン二世の釈放に際しては、身代金の支払いが完了するまで、身代わりの人質がイングランド側に送られた。人質のひとりであった王子が逃亡するという事件が起きた時、ジャン王はみずから人質に戻ることを申し出て、六四年ロンドンで死去した。彼は「善良王」と呼ばれている。捕虜として異国で死んだジャン二世であったが、身代金の調達のためになされた臨時の徴税は、近代的な税制度の起源となった。思わぬかたちでフランス王権の強化、王国の統一に寄与したと言えるかもしれない。

　エドワード黒太子はその後も戦い続けた。六七年にはイベリア半島に遠征し、ジャン二世のあとを継いだシャルル五世と結んだカスティリャ王を破っている。しかし病を得て帰国し、一三七六年、父エドワード三世より一年早くこの世を去った。黒太子の武勇には、サラディンと渡り合ったリチャード一世獅子心王を思わせるものがある。意識して名付けたのではないだろうが、黒太子の息子はリチャードという名で、父亡きあと、祖父エドワード三世を継いで一〇歳で即位、リチャード二世となった。もっとも同名の獅子心王のような華々しい武勇伝は知られておらず、フランスとの和平を追求したため、反対派によって王位を追われることになった。

フランス王国の混乱――王妃イザボー

　一三六〇年のブレティニ・カレー条約締結後も、イベリア半島、フランドルなどをめぐって英仏の対立は続いた。百年戦争は複雑な国際関係のなかで展開されたのである。フランス側はジャン二世のあとを継いだシャルル五世が反撃に転じ、一三八〇年に即位したシャルル六世のもとで、イングランドでワット・タイラーの農民一揆が生じたこともあって、フランス側が優勢となった。百年戦争の初期にフランスがジャクリーの乱で苦しんだように、農民の動向も戦争のゆくえに影響を与えていた。

順調に形勢を挽回してゆくかと思えたシャルル六世であったが、一三九二年に発病する。精神的な病で、発作が起こると妃のイザボーのこともわからなくなり、従者に「寝室にいるこの女は何者だ」と尋ねたという話も伝わっている。発作が終われば正常に戻り、王としての任務を果たした。発病後もイザボーとのあいだに、一四〇三年生まれの王太子シャルル（七世）をはじめ、子供が何人か生まれている。しかし王の発作はしばしば起こり、時には長く続いたので、王国の統治はきわめて難しくなった。

シャルル六世が政治をみられない期間が長くなると、王族・諸侯のあいだで主導権争いが始まった。一四〇七年、王の弟オルレアン公ルイが叔父のブルゴーニュ公ジャンによって暗殺されたのを機に、王朝直系のオルレアン派――一般にアルマニャック派と呼ばれる――と傍系のブルゴーニュ派の対立が鮮明となった。病の王を支えて王妃イザボーは両派の和解に努めたが、対立は収まらず、フランスの内部分裂に乗じてイングランド軍が攻勢に出てきた。一四一五年一〇月、英王ヘンリー五世は北仏のアザンクールでフランス軍に大勝した。それに呼応するかのように、一八年にはブルゴーニュ派がパリを制圧し、アルマニャック派の王太子シャルルは都を追われた。

一四一九年、両派のあいだで和解交渉が行なわれたが、そのさなかに、今度はブルゴーニュ公ジャンが殺害された。この事件をきっかけにブルゴーニュ派は全面的にイングランド側に立つことになる。一四二〇年五月、ブルゴーニュ公とイングランド王ヘンリー五世がトロワの和約を締結した。和約の内容は次の三点にまとめられる。

（1）シャルル六世が「病身」なのでヘンリー五世が摂政として（フランス王国の）政治をみる。
（2）ヘンリー五世とシャルル六世の娘カトリーヌが結婚する。
（3）シャルル六世の死後は、ヘンリー五世がフランス王となり、そのあと王位はヘンリーとカトリーヌのあいだに生まれた子孫が継承する。「王太子と称する」シャルル（七世）に王位継承権はない。

シャルル六世の発病からトロワの和約に至る間、王妃イザボーは両派のあいだで揺れていた。そのためもあってか、双方から非難を浴びることとなった。イザボーをめぐる伝承には信憑性に乏しいものが多いが、この時期のフランス王権の揺らぎを象徴しているようである。たとえば、イザボーは王の弟オルレアン公ルイと不倫関係にあり、共謀して夫シャルル六世殺害を謀ったと言われることもある。舞踏会で王に燃えやすい服装をさせ、事故を装って松明で火を付けた。王は一瞬炎に包まれたが、傍らにいた女性が大きなスカートをすっぽり被せて消し止めたので、ことなきを得たというのである。

一四二〇年の時点でイザボーはブルゴーニュ派に鞍替えしており、トロワの和約に立ち会っている。トロワの和約によって、王太子シャルル（七世）の王位継承権が否定されたことについて、これまたどこまで本当か疑わしいが、イザボーは次のように説明したと伝えられている。「あの子は王様の子供ではありませんから」。みずからの不倫を公然と表明したことになる。

和約から二年、一四二二年に英王ヘンリー五世は死に、仏王女カトリーヌとのあいだに生まれたばかりの男子が、ヘンリー六世として即位した。二カ月後、仏王シャルル六世も没して、ヘンリー六世は英仏の王となった。これに対抗して王太子シャルルも王を名乗る。いずれが正統なフランス王か、英仏百年戦争は天王山を迎えつつあった。

オルレアンの奇蹟――ジャンヌ・ダルク

戦いはイングランド＝ブルゴーニュ派の優勢のうちに進み、北フランスを抑えた英軍は中部へと南下し、一四二八年秋には要衝オルレアンを包囲するに至った。シャルル七世を支持するこの町の守備隊は抵抗し、持ちこたえていたが、包囲網は次第に絞られていった。この時に突然歴史の舞台に現れたのがジャンヌ・ダルクである。東部国境に近いロレーヌ地方ドンレミ村の農家の娘が、村の近くに駐屯していたアルマニャック派の守備隊長のもとを訪ね、「フランスを救い、シャルル王太子を即位させよ」という神のお告げを受けた、自分をシャルルのもとへ連れて行ってほしい、と訴えたのがことの始まりであった。

隊長がシャルル七世に連絡すると、苦しい状況に追い込まれていたシャルルは藁にもすがる思いだったのか、こちらへ寄越すようとの返事がきた。二九年二月、ジャンヌは男装して六〇〇キロの旅をし、シノン城にいたシャルル七世の前に現れた。神の声を聞いたという証拠を示せと言われたジャンヌは、「オルレアンの囲みを解くことが私の徴となるでしょう」と答えたと言われる。半信半疑だったであろうが、シャルルはジャンヌに軍を与えて、オルレアンへ向かわせた。

四月二八日の夜、イングランド軍の包囲をくぐってジャンヌの軍はオルレアンの町に入り、市内にいた守備隊に合流した。このあとわずか一〇日足らずで、フランス軍はオルレアンの周囲に築かれていたイングランド軍の砦を次々と攻略した。五月八日に英軍は撤退し、オルレアンの囲みは解かれた。まさに奇蹟的な勝利であったが、やはりそれなりの理由があったようである。イングランド軍は長期にわたる包囲戦で疲弊しており、同盟者であるブルゴーニュ派との関係もぎくしゃくしていた。きっかけさえあればフランス軍が勝

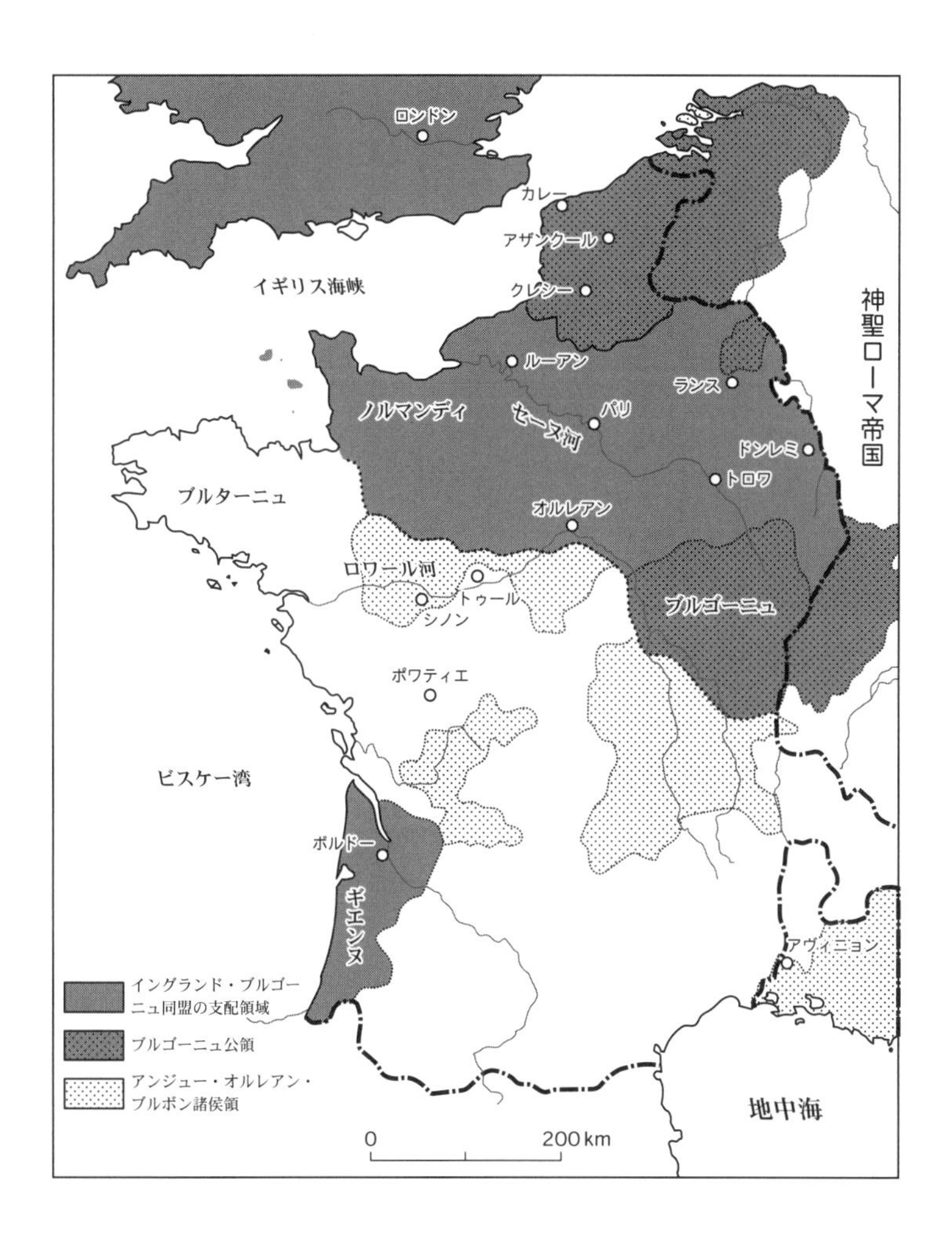

地図10　百年戦争期のフランス
（参考文献、城戸『百年戦争』より作成）

てる条件は生まれていた。そのような時に、自分は神の使いだと信じ、恐れることなく軍の先頭に立って突撃するジャンヌが現れたのである。その姿にフランス軍の兵士たちは奮い立った。こうしてオルレアンの奇蹟が生じた。

オルレアンの防衛という大きな戦果を受けて、将軍たちは次の作戦を協議した。多くの者が、イングランド軍を追撃し、ノルマンディ、ロワール地方を奪回しようと主張したが、ジャンヌの意見は違った。ランスへ向かい、シャルルの戴冠式――厳密に言うなら聖別式――を行なうべきである、ジャンヌはそう言った。兵士や民衆はジャンヌの言葉に熱狂し、「ランスへ」という叫び声が沸き起こった。オルレアン解放のあとシャルル七世と再度会見した折にも、ジャンヌは、何よりもまず戴冠式を行なうよう促している。

国王戴冠――シャルル七世

第二節でも述べたように、歴代のフランス王は東北部の町ランスの大聖堂で戴冠式を行なうのが慣例であった。遡れば、フランク王クローヴィスが洗礼を受けたのもこの町である。フランス王国の聖地ランスで戴冠式を行なうことは、母イザボーから「あの子は王様の子供ではありません」と言われたシャルル七世にとって、みずからの王位の正統性を示す最善の方法であった。軍事力だけでは王の正統性を認めさせることはできない。中世フランス王権にとってもっとも重要だったのが、神・教会による聖別であることを、ジャンヌは知っていたのだろうか。

そのつもりで振り返ってみると、シノン城を訪ね、王太子シャルルと面会した時のエピソードも、シャルルの正統性を示すものとして喧伝されたようである。のちになって広がった噂であるが、シノン城にやって来たジャンヌを試すために、替え玉の王と面会させたところ、ジャンヌはひと目で見破り、シャルルの方を向いて「王様」と語りかけた、神の使いであるジャンヌには、正統なフランス王シャルルがわかったという話である。

一四二九年七月一七日、ランスの大聖堂でシャルル七世の戴冠式が行なわれた。一九世紀の画家アングルの『ランス大聖堂におけるシャルル七世戴冠式のジャンヌ・ダルク』（ルーブル美術館所蔵）は、鎧を纏い、右手に軍旗をもって、祭具と王の徽章が置かれた祭壇に左手をおいた、堂々たるジャンヌの姿を描いている。史実とは異なるようで、大聖堂を囲んでいた兵士・民衆はジャンヌを称えていたが、聖堂内の式典では、こんな晴れがましい役割ではなかったらしい。

戴冠式におけるジャンヌの役割はともかくとして、ランス大聖堂での戴冠はシャルル七世にとって決定的な重要性をもった。戴冠によって、正統なフランス王が外国軍と戦うという大義名分が立つこととなったからである。これ以降、戦況はフランス側に傾いてゆく。

しかしながらジャンヌはフランスの勝利を見届けることはできなかった。ランス戴冠式のあとも軍の先頭に立って戦い続けたが、オルレアンの防衛、ランスでの国王戴冠で、ジャンヌの歴史的な役割は終わったと言ってよい。そのあと彼女に待っていたのは悲劇であった。一四二九年九月、フランス軍はブルゴーニュ派が支配するパリを攻撃したが撃退され、ジャンヌも太腿に矢傷を負った。このたびも最前線で勇敢に戦ったためであるが、神が遣（つか）わした少女というイメージに大きな傷がついた。さらに翌三〇年五月にパリ北東のコンピエーニュの戦いで、ジャンヌはブルゴーニュ派に捕えられてしまった。

ジャンヌ・ダルク裁判

捕虜としたジャンヌをどう扱うか、ブルゴーニュ派には三通りほどの方法があったようである。パリ大学神学部は、一信徒が直接神の声を聞くなど、ジャンヌの行動には異端の疑いが濃いとして、宗教裁判への引き渡しを求めた。シノン城へ向かう際に、旅路の安全を考えて男装をしたことも物議を醸していたらしい。もうひとつの方法は、シャルル七世に引き渡し、高額の身代金を手にするというものであった。しかしシャルルがジャンヌの奪回ないし釈放に積極的に動いた形跡はない。結局、ジャンヌはイングランド側に買い取られた。

イングランド側はジャンヌを裁判にかけることにした。一四三一年一月からノルマンディの拠点ルーアンでジャンヌ・ダルク裁判が始まった。すでにシャトー・ガイヤール（リチャード一世が建てたノルマンディ防衛の城）も失っていたインランド軍は、この裁判によって形勢の挽回をはかろうとしたのである。神の声を聞いたというだけではなく、予言をしたり、イエスやマリアの名前で手紙を出すなど、ジャンヌの行動を異端と認定する条件は整っていた。ジャンヌを異端・魔女と断定することにより、魔女の力を借りて即位した偽フランス王シャルルと主張するつもりであった。

シャルル七世は、大きな功績のあったジャンヌ・ダルクを救い出さなかった。その理由は不明である。パリ攻略の失敗などをみて、「神の使い」ジャンヌに疑問をもったのか、あるいは教会の非難を恐れたためかもしれない。シャルルに見捨てられたジャンヌは、イングランド＝ブルゴーニュ派の聖職者、ボーヴェ司教の主宰する宗教裁判にかけられた。最初から判決が決まっているような裁判であったが、審理は時間をかけて行なわれた。判決が読み上げられる途中でジャンヌはみずからの過ちを認め、悔悛することを誓った。火刑が恐ろしかったためと本人は言っているが、確かに一〇代の少女ならずとも、火あぶりと聞けば震え上がるに違いない。

悔悛によって減刑されたジャンヌではあったが、自分の行動をすべて否定するのは辛すぎたのであろうか、過ちを認めたわずか四日後にそれを取り消した。確かに神の声を聞いたと主張したのである。その結果、戻り異端として厳しい最終判決が下され、一四三一年五月三〇日にルーアンの広場で火刑に処された。

百年戦争の終結――英雄となるジャンヌ・ダルク

一四三五年、ジャンヌの処刑から四年、北仏のアラスにイングランド王とフランス王の使節が到着し、和平会議が開かれた。この会議にはブルゴーニュ公の代理人や関係各国の代表、さらに仲介役の教皇特使も参加していた。英仏間の和平交渉は決裂したが、シャルル七世とブルゴーニュ公のあいだにアラスの和約と呼ばれる合意が成立した。ブルゴーニュ公はイングランド王との同盟を正式に破棄し、フランス王国を二分したアルマニャック派とブルゴーニュ派の抗争が終結した。和約が結ばれた三日後、王国の統一を確かめたかのように、シャルル七世の母イザボーは波乱の生涯を終えた。

翌三六年、シャルル七世はパリを奪還した。続いて、カレーの町を除くフランス全土からイギリス勢力を駆逐し、一四五三年ついに百年戦争は終わった。ここに大陸のフランス王国、島国のイギリスと、ふたつの国の輪郭が明確になる。王侯の結婚によって領土が変化する、国境を越えて主従関係が結ばれる、そのような緩やかな国家――まさに封建国家――に代わって、国王のもとにまとまった国家が出現した。それと並行して、教皇権、皇帝権といった超国家的な権威も実質を失ってゆく。中世から近世・近代への転換である。

新しい国家、新しい時代への道は平坦ではなかった。曲がりくねった激流であった。ジャンヌの悲劇がそれを語っている。フランス王に見捨てられ、イングランド王の意向に沿った宗教裁判によって火刑になったジャンヌ。さまざまの逸話、多くの図像が伝えられているジャンヌではあるが、同時代の記録では英雄とはほど遠い存在である。オルレアンの攻防戦に関する第三者の貴重な証言である、ヴェネツィア人パンクラティオの書簡には次のようにある。

同時代人が描いたジャンヌ・ダルク

ある羊飼いの娘のことですが、これはロレーヌの生まれで、一カ月半ほど前にシャルル王太子のもとに現れ、……自分をここに寄越したのは神だと公言した。……王太子はこの娘によって大事件の啓示を受けたことになります。これはどうも、他の人たち同様、私には疑わしいと思われるのです。

信じがたいようなジャンヌ・ダルクの物語がまったくの作り話ではないことがわかるが、ここにはジャンヌという名前は挙がっていない。彼女が聞いたという「神の声」も多くの人には疑わしいものであった。しかし百年戦争が終結に近づくと、ジャンヌ復権の動きが進み始めた。一四五〇年にシャルル七世はジャンヌ裁判の再調査を命じた。そして戦争終結から二年、一四五五年にはローマ教皇庁にジャンヌ委員会が設置され、翌年、同委員会はジャンヌ裁判の審理と処刑判決の無効を宣言した。はるか時代は降って一九二〇年、

ヴェネツィア共和国——中世の都市国家

第一章一節で古代国家の一類型として紹介した都市国家は中世にも存在した。もっとも有名なのはヴェネツィアであろう。ヴェネツィア共和国は商業活動に支えられて、一〇〇〇年以上にわたって安定した政体を維持した。奇蹟的なこととして「ヴェネツィア神話」と呼ばれる。

多数の市民代表が参加する大評議会（共和国国会）に加えて、元老院や十人委員会といった有力者の会議が実権を握っていた点で、ヴェネツィアはローマ国家とよく似た統治構造をもっていた。しかし、ローマが征服によって領土を広げ、ついに世界帝国となったのに対して、ヴェネツィアは長期にわたって共和政の都市国家であり続けた。一二〇四年、第四回十字軍に加わってビザンツ帝国を征服した時も、割り当てられた領土を放棄して、港町・島・岬といった海上交通の要衝のみを獲得している。

ヴェネツィアのような国家は世界の各地に見られる。東南アジアにも、港町を拠点に交易活動を軸とした小国家が存在し、港市(こうし)国家と呼ばれている。港市国家は大航海時代に多数出現した。マラッカやジュバラはその代表である。

同じ頃、日本でも堺が南蛮貿易を通じて繁栄し、会合衆(えごうしゅう)・年寄などを選出して自治を行なっていた。しかし自治都市堺が都市国家となることはなく、織田信長による天下統一に組み込まれた。

都市国家ヴェネツィアも近世になると姿を変えてゆく。地中海商業の衰退とともに、イタリア本土に領土を広げ、同時代の西欧諸国と軌を一にする領域国家となっていった。それでもなお共和政を維持していたが、一七九七年ナポレオン軍に占領され、共和国は消滅する。

（参考文献）中平希『ヴェネツィアの歴史——海と陸の共和国』創元社、二〇一八年カトリック教会はジャンヌを聖人と認定した。魔女から聖人へ、ジャンヌ・ダルクは大きく姿を変えた。

ジャンヌ・ダルクは百年戦争を通じて近代国家を創った。私たちが知っているジャンヌを創ったのは近代国家であった。こうして誕生した「ジャンヌ・ダルク」は、一九〜二〇世紀、国民国家の時代に世界の英雄となった。

終章は、ジャンヌを英雄とした近代国家について、その成立に関する簡単な展望を述べて、本書の結びとしたい。

終章

国民国家への道——マキアヴェッリからナポレオンへ

ルネサンス——国家観の変容

ルネサンスと宗教改革によって、西欧世界は中世から近世・近代へと転換した。国家とは何か、国家というものをどう理解するのか、すなわち国家観においても、このふたつの運動と結びついて大きな変化が生じた。終章では、まずルネサンスの政治思想家N・マキアヴェッリ（一四六九～一五二七年）を通じて、近世における国家観の変化をみる。そのあと、宗教戦争を通じて国家が姿を変えてゆく過程を簡単にたどり、最後に、中世国家の名残りをすべて消し去り、近代国家を現出させた人物としてナポレオンに触れる。

中世の政治生活の単位は現代のような国民国家ではなかった。各地の領主が国家権力を分有する一方で、観念的には、カトリック世界全体がひとつの政治社会であった。この世界の統一を体現していたのは教会であり、世界は「キリスト教共同体 corpus Christianum」であった。corpus 身体という言葉に示されるように、カトリック・キリスト教世界全体がひとつの有機体、多様な性質・機能をもつさまざまの細胞・器官からなる生命体と理解されていたのである。すべての人間はこの共同体のなかで一定の位置を占め、それぞれの役割を果たしている。世界の秩序と人間のあり方を規定していたのは、伝統主義、権威主義であった。

このような世界観・国家観はルネサンスによって崩れてゆく。ルネサンス精神の基本はヒューマニズムである。ヒューマニズムは人文主義と翻訳され、ギリシア・ローマ古典の研究と理解されているが、その本質は、人間の欲望や力の肯定、能力・理性への信頼にある。人間の弱さ、罪深さを説き、神の定めた秩序に従って生きるという、キリスト教中世の世界観・人間観とは対照的な精神といえる。すなわちヒューマニズムとは人間中心主義である。

ルネサンス・ヒューマニズムのもと、人間はみずからに自信をもってこの世界と向き合うことになった。

人々は美を追求し、真理を求めた。芸術が花開き、科学が発達した。同時に、富や権力も追求した。伝統・権威から解放された人間は、欲望を肯定し、エゴイスト（利己主義者）として立ち現れる。それぞれがみずからの欲望を追求する人間のあいだで争いが生じるのは必然である。利己的な人間をまとめて、ひとつの秩序＝政治社会をどう創り上げるのか、ルネサンスは政治のあり方にも問題を提起した。それに対する回答が、マキアヴェッリの国家論であり、ほぼ同時代のトマス・モアのユートピアであった。ここではマキアヴェッリに絞ってルネサンスの国家観をみておこう。

マキアヴェッリと「国家 stato」

中世おいて政治とは神が定めた秩序の維持であった。罪深い、無力な人間は、分をわきまえて「キリストの身体」の一部として生きるのである。ところがルネサンス・ヒューマニズムが人間の欲望や力を解放し、利己的な人間たちが闊歩（かっぽ）するようになった。激しい競争の社会に何らかの秩序を創ることが必要となるが、その秩序を創り出すのも同じく利己的な人間、欲望や利害で動く人間であるから、必然的に力による支配、権力支配による秩序とならざるを得ない。マキアヴェッリは主著である『君主論』において次のように述べている。

モーセにしても、もし武力をもたなかったなら、自分たちの律法を長期にわたって民衆に守らすことは不可能だっただろう。（第六章）

もうひとつの著作『ローマ史論（ディスコルシ）』第一巻九章の有名な一節も引用しよう。

たとえその行為が非難されるようなものでも、結果さえよければ、それでいいのだ。（弟レムスを殺した）

ロムルスの場合のように、もたらされた結果が立派なものなら、犯した罪は常に許される。

この文章は、いわゆるマキアヴェッリズム（目的のためには手段を選ばない権謀術策主義）と理解されているが、国家という観点から読みかえると、やはりこれも中世的な国家観から近代の国家観への転換を示すものと言える。

国家観の転換を象徴するのがスタト stato というイタリア語である。ラテン語の status（立っていること＝地位・状態）から創られ、現代語の「国家」state（英）、Staat（独）、état（仏）のもととなった単語である。マキアヴェッリが唱えた政治組織スタトは、それ以前の国家とは大きく異なるものであった。

マキアヴェッリ

中世にあって国家を指す言葉は res publica であった。古代ローマから受け継いだ概念である（第二章一節および一二〇ページのコラム参照）。現代語の republic（共和国）のもととなっているラテン語であるが、「公のもの」という意味で、さまざまの人々を包みこむ共同体という中世的な国家観を示している。res publica（公のもの）を直訳した commonwealth、Gemeinwesen と比べると、同じく国家と翻訳されても state、Staat は意味合いがずいぶん異なる。後者は権力支配としての国家、支配のための機構、権力装置を意味しており、マキアヴェッリのスタト stato に遡る概念である。

マキアヴェッリにあっては、国家とは支配の装置であるが、暴力と並んで、宗教も政治的な支配の手段として想定されている。「支配者は、信心深い必要はないが、信心深く見えることは必要である」という言葉もまた、新しい国家観を語るものである。

近世の戦争と主権国家の確立――ウェストファリア条約

マキアヴェッリ的な国家観は、現実の国家がたどった歴史に対応していた。領土や国民が明確な国家、内部に対しては立法・行政・司法などの権限を独占し、外部に向かっては独立不可侵を主張する近代的な国家の確立である。このような国家を主権国家と呼ぶ。主権国家はルネサンス期に姿を現わすと、一七〜一八世紀の絶対王政のもとで発展し、一九世紀には国民国家として完成した。

主権国家の「主権」には、戦争を行なう権利も含まれている。言い換えると、国家が暴力を独占する（フェーデの禁止）、国家のみが戦争をする権利を持つということである。以下、西欧近世における戦争をみることで、主権国家の形成・発展を簡単にたどっておこう。

第三章一節の最後に述べたように、神聖ローマ帝国の歴史において中世から近世への画期となったのは、「最後の騎士」マクシミリアン一世の時代である。彼が皇帝となった翌年、一四九四年からイタリア戦争が始まった。イタリアをめぐって神聖ローマ帝国とフランス王国が戦い、ローマ教皇、ヴェネツィア共和国、ミラノ公国、ナポリ王国なども加わった戦争は、中断を挟みつつ一五五九年まで続いた。マクシミリアン一世は、イタリアを戦場としてフランス軍と戦ったが、かつて神聖ローマ皇帝フリードリヒ一世や同二世の戦争とは性格が異なっていた。

一二世紀のフリードリヒ一世、一三世紀の同二世のイタリア遠征は、支配下の諸都市（ロンバルディア同盟）の反抗を鎮圧するものであったが、一五世紀末～一六世紀半ばのイタリア戦争は、マクシミリアン本人の認識はともかく、客観的にみれば外国であるイタリアをめぐる独仏の国際戦争であった。普遍的な世界帝国はすでに解体していたのである。

イタリア戦争と並行して宗教改革が進んでいた。ルネサンスに加えて、宗教改革も中世的な世界観・国家観を覆すことに大きく寄与した。中世の世界は「キリストの身体」であり、その国家観がキリスト教に基づいていたとすれば、宗教のあり方を根本的に変革した宗教改革が、中世的な国家観を解体することになったのは当然であろう。国家にとって重要な戦争も、宗教改革が引き起こした宗教戦争を通じて、近代的なものとなってゆく。

宗教改革に伴い、一六世紀半ば以降、新教・旧教の両派のあいだで宗教戦争が次々と生じた。シュマルカルデン戦争（一五四六～四七年）に始まる一連の宗教戦争、とくにその最後となった三十年戦争（一六一八～四八年）には国家のあり方の転換が鮮明に現れている。

シュマルカルデン戦争を引き起こした、ドイツにおけるカトリックとプロテスタントの対立は、一五五五年の帝国議会でなされた決定（アウグスブルクの和議）によってひとまず解消された。ルター派が公認されて、諸侯にカトリックかルター派を選択することが認められ、領内の住民は諸侯の選んだ宗派に従うものとされた。宗教問題についても領邦に決定権が認められたわけで、ドイツでは各領邦が主権国家として確立した。

シュマルカルデン戦争と同じく、神聖ローマ帝国内の新旧両派の戦いとして始まった三十年戦争は、デンマーク、スウェーデンなどの参戦によって国際的な性格を帯び、次第に宗教戦争という性格を薄めていった。

決定的な転機となったのは一六三五年のフランスの参戦である。フランスは旧教国でありながら、ハプスブルク家への対抗のため新教側に立って戦った。ここに至って、信仰の違いよりも国家の利害を優先させる、主権国家間の戦争という性格が鮮明となった。三十年戦争は最初の近代的な戦争と言われることになる。宗教の時代から国家の時代への転換であった。

三十年戦争を終結させた一六四八年のウェストファリア条約は、若干の修正を加えつつアウグスブルクの和議を再確認した。同条約の第八条一項は、さらに踏み込んで、ドイツの諸侯に「教会および世俗の事柄において、また支配権や国王大権やそれらの占有において、誰からも、いつ何時でも、いかなる口実によっても実際に妨害されえないこと」を認めている。ドイツの各領邦が主権国家と認められ、神聖ローマ帝国は事実上滅亡した。ウェストファリア条約は中世国家、神聖ローマ帝国の「死亡診断書」である。

絶対王政から国民国家へ——ナポレオン

ウェストファリア条約の歴史的意義は神聖ローマ帝国だけに関わるものではない。同条約はヨーロッパ最初の多国間国際条約として、現代まで続く主権国家体制の起点というべきものである。公権力を独占する主権国家はルネサンスに芽生え、近世の西欧で絶対王政というかたちをとって成立した。

絶対主義国家は、官僚制と常備軍を備えた中央集権的な国家と理解されてきたが、その実態は、官職売買を通じて地位についた官僚、傭兵に補完された常備軍であり、近代国家とは大きく異なることは明らかである。にもかかわらず、主権国家という理念は絶対王政のもとで確立し、現代まで続いている。その意味で、近代国家の起源は絶対王政にあると言っても間違いではない。

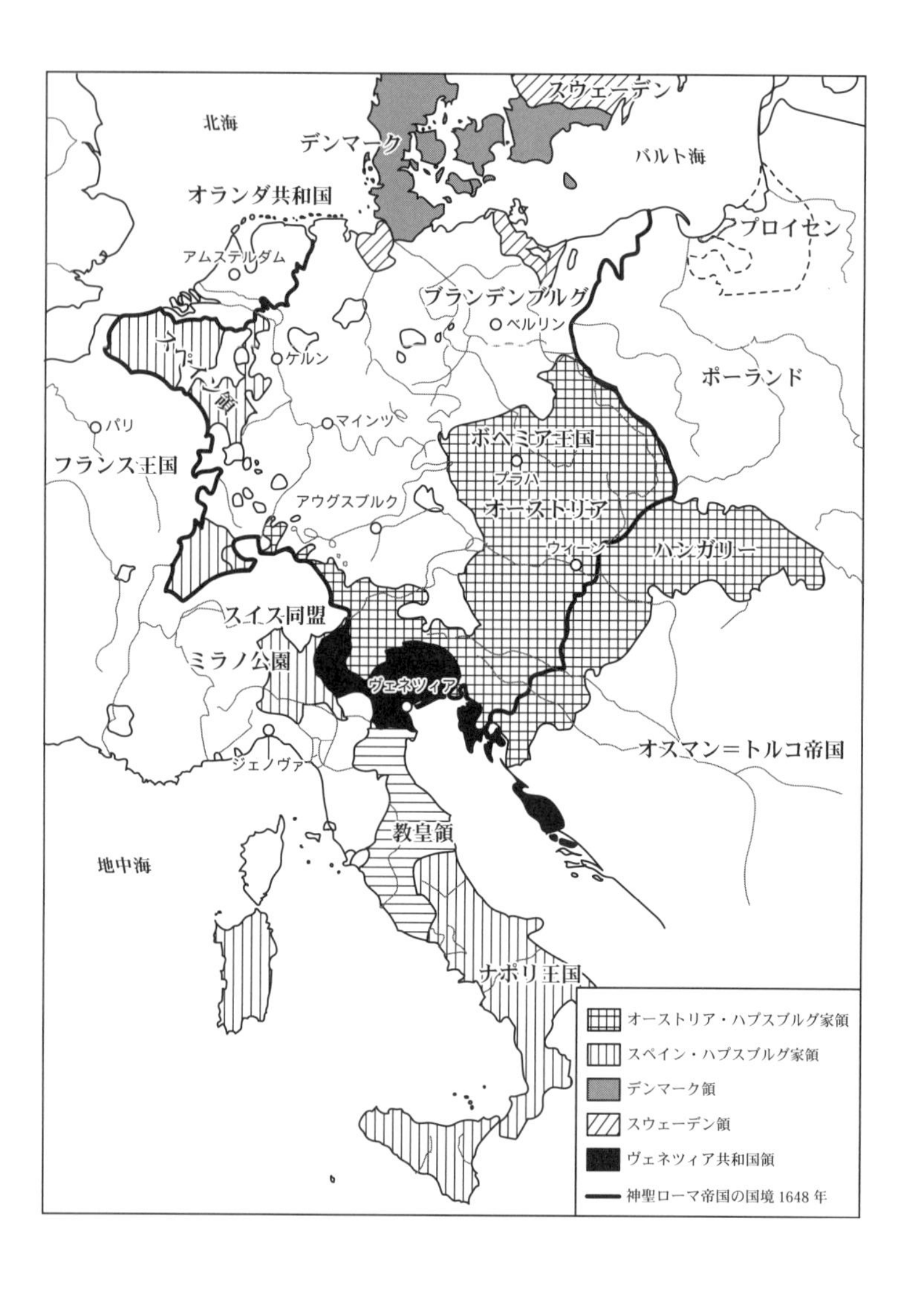

地図 11　ウェストファリア条約（1648 年）
（参考文献、菊池『神聖ローマ帝国』より作成）

近世から近代へ変化したのは主権の所在である。絶対王政のもとで主権は君主にあった。「朕(ちん)は国家なり」というルイ一四世の言葉は、君主主権という観念を端的に表現している。アメリカ独立革命とフランス革命によって、国家主権は君主から国民に移った。フランス革命勃発直後に国民議会で採択された『人権宣言（人間と市民の権利の宣言）』の第三条は、「すべての主権 souveraineté の根源は、本質的に国民 nation にある」と国民主権を宣言した。

フランス革命の展開に対抗して、ヨーロッパ諸国はイギリスを中心に対仏大同盟を形成した。革命戦争が展開されるなか、将軍ナポレオンが独裁的な権限を握った。ナポレオン独裁によってフランス革命は終わったと言われるが、近代国家成立の歴史という点からみても、ナポレオンはひとつの時代を画する存在であった。人物を中心に国家を論じてきた本書の最後に登場願うのはナポレオン・ボナパルトである。

近世に残っていた中世国家の残滓(ざんし)はナポレオンによって一掃された。中世都市国家の代表であるヴェネツィア共和国（一八九ページの〔コラム〕）は、ナポレオンの第一次イタリア遠征の結果、一七九七年のカンポ・フォルミオ条約によって消滅した。同時にジェノヴァ共和国も地図から姿を消した。一六四八年のウェストファリア条約で「死亡診断書」が出された神聖ローマ帝国は、名前だけの存在としてなお存続していたが、一八〇五年のアウステルリッツの戦い、世に聞こえる「三帝会戦」でロシア、オーストリアを破ったナポレオンは、多くの諸侯を神聖ローマ帝国から脱退させ、新たにライン連邦を結成させた。翌年八月六日、ナポレオンの圧力のもと、最後の皇帝フランツ二世は帝冠を放棄し、帝国の消滅を宣言した。神聖ローマ帝国に「埋葬許可書」が発行されたのである。

一八〇五年のアウステルリッツの戦いが三帝会戦と呼ばれるのは、神聖ローマ皇帝フランツ二世（オーストリア皇帝とも称していた）とロシア皇帝アレクサンドル一世の連合軍に対して、フランス皇帝ナポレオンが戦ったからである。独裁的な権限を掌握したナポレオンは、三帝会戦の前年に皇帝となっていた。時代錯誤の行為のようにみえるが、ナポレオンの戴冠には主権国家の新しい段階、国民国家の姿が現れている。皇帝になるにあたって国民投票が行なわれた。主権者である国民の委託を受けて皇帝になるという形式をとったのである。戴冠式にはローマ教皇も列席していたが、ナポレオンはみずからの手で帝冠を戴いた。皇帝の地位は神、教会からではなく、国民から受け取ったとの表明であった。

皇帝になる前年、ナポレオンはジャンヌ・ダルクを称える文書に署名した。ジャンヌの銅像を再建したいというオルレアン市の要請に応えたものである。「フランスの独立が脅かされる時には、優れた英雄が出て奇蹟をもたらしてくれることを、あのジャンヌ・ダルクが証明している。」イギリスとの戦いを念頭において、ナポレオンは自分をジャンヌに擬えた。ここにジャンヌ・ダルクは国家の英雄となった。第三章の末尾で「近代国家がジャンヌを創った」と述べたが、それを完成させたのはナポレオンであった。ナポレオンによるジャンヌ顕彰は、絶対王政のもとで確立した主権国家が、近代的な国民国家へと衣替えしたことを示している。まさに「ナポレオンは近代ヨーロッパの産婆役であった」。（上垣豊『ナポレオン――英雄か独裁者か』）

未来への歴史学

ナポレオンが称えた、祖国フランスの英雄ジャンヌ・ダルクは、一九世紀から二〇世紀にかけて世界の英雄となった。この時代が国民国家の時代であったことを語るものである。西ヨーロッパで展開された主権国家体制に日本も一九世紀後半に加わり、ジャンヌ・ダルクは「忠君愛国の少女」となった。

二〇世紀に入り、第一次世界大戦と革命によって、主権国家体制はさらに広がる。アメリカ大統領ウィルソンとロシアの革命家レーニンがそれぞれ唱えた「民族自決」が、帝国の解体、国民国家の建設を進める理念となった。民族自決の流れは、第二次世界大戦後のアジア諸国の独立によって加速され、アフリカ諸国が相次いで独立した一九六〇年は「アフリカの年」と呼ばれた。この年の一二月に国連は「植民地と人民に独立を付与する宣言」を採択した。

二〇世紀はまさに国民国家の時代であった。世紀半ば、敗戦によって再出発した日本も、全世界に広がった主権国家体制の一員であることに変わりはなかった。日本国憲法は前文において「主権が国民に存することを宣言」している。世界のいずれの国も「自国の主権を維持」するとも述べている。国民国家を単位とする世界を前提として、日本国の主権を掲げているのである。

国民国家の時代であった二〇世紀においても、異なる国家のあり方を模索する動きは存在した。旧ユーゴスラビアにみられた連邦国家もそのひとつである。「七つの国と国境を接し、六つの共和国からなり、五つの民族が住み、四つの言葉を話し、三つの宗教を信じ、二つの文字を使う一つの国」と言われたユーゴは、二〇世紀の末に至って、連邦を構成する諸民族間の凄惨な内戦とともに解体した。アジア・アフリカ諸国の独立が民族自決の光なら、ユーゴスラビアの内戦はその影であった。

二〇世紀には、国民国家を越える国際的な組織も誕生した。第一次大戦後の国際連盟、第二次大戦後の国際連合は、戦争をする権利を持つ主権国家によって構成されていたが、主権国家が引き起こした世界大戦への反省をこめて誕生した国際組織である。ＥＵ（欧州連合）のような複数の国家を含む地域的な統合も進みつつある。ＥＵは議会をもち、統一通貨ユーロを発行し、域内の関税を撤廃したし、パスポートも不要とし

火薬帝国——近世の世界帝国

近世の初頭、西欧において主権国家が成立しつつあった頃、ユーラシア大陸の各地に巨大な統一国家が成立した。西から順に、ハプスブルク家のスペイン帝国、オスマン・トルコ帝国、ペルシアのサファヴィー朝、インドのムガル帝国、少し遅れて中国に清王朝と世界帝国が並び立った。

統一帝国を生み出した要因としてしばしば指摘されるのが銃砲である。羅針盤、活版印刷術と並んで「三大発明」にひとつに数えられる火薬は、中国で発明され、イスラーム世界を通じて一三世紀にヨーロッパへ伝えられた。近世の初めに至って、各地域において火薬を用いた武器——小銃や大砲——が実用化され、戦争に用いられた。

強力な火器による武力で周辺世界を征服して誕生した一連の統一国家は、「火薬帝国 gunpowder empires」と総称される。ハンガリー人が開発した大砲によって、難攻不落と言われたコンスタンティノープル（現イスタンブル）の城壁を突破し、ビザンツ帝国を滅ぼして東地中海・近東に大帝国を創り上げたオスマン帝国は「火薬帝国」の代表である。インディオを驚かせた鉄砲を用いて、アステカ王国、インカ帝国を征服したスペインも「火薬帝国」に含まれるだろう。

火薬を用いた武器が日本に伝わったのは一六世紀半ばのことであるが、戦国争乱の時代にあって鉄砲は急速に普及した。織田信長が甲斐の武田勝頼を破った一五七五年の長篠の戦いは、鉄砲の威力を示したものとして有名である。ほどなく信長、続いて豊臣秀吉による天下統一がなされた。このようにみると、織豊政権を小型「火薬帝国」と呼んでもよさそうである。

（参考文献）W・H・マクニール『戦争の世界史——技術と軍隊と社会』上・下、高橋均訳、中公文庫、二〇一四年た。通貨の発行、国境管理など、主権国家の権限の一部をもつ、新たなかたちの国際組織である。

ＥＵが成立する時、加盟する一二カ国の歴史家が四年の歳月をかけて『ヨーロッパの歴史』という書物をまとめた（邦訳『ヨーロッパの歴史――欧州共通教科書』一九九四年。増補第二版の邦訳は一九九八年刊行）。同書は百年戦争について詳しく述べて、封建国家から近代国家への転換を説明しているが、ジャンヌ・ダルクにはひとこと触れるのみである。国家のあり方が変わる時、近代国家が創り上げた「祖国の英雄ジャンヌ・ダルク」はまたも姿を変えるのだろうか。

国家の変貌という点では、日本も大きな役割を果たす可能性をもっている。日本国憲法第九条は「国権の発動たる戦争」の放棄を表明している。国家が有するとされる、戦争をする権利を否定することは、主権国家という近世・近代の国家理念に対する大きな修正である。憲法九条の精神が、現実の国家を創り変えるなら、国家の歴史、世界の歴史はまた新たな時代を迎えることになる。

経済・社会・文化のグローバル化が進むなかで、国家が現在の姿を維持してゆくのか、かたちを変えてゆくのか、はたまた消滅するのかは、人類の未来に関わる大きな問題である。歴史学は未来の学問である。ただし将来を予測する、予言するのが歴史学の仕事だという意味ではない。私たちのより良い未来のために、過去を学ぶのである。私たちの生活に大きな影響を与えている国家について、その歴史を学ぶことの重要性を改めて強調して第二巻を終えることとする。

あとがき――感謝の言葉

西洋古代・中世の諸国家――古代ペルシア帝国も含めて――について一書をまとめるとは思ってもみなかった。専門分野は異なるが、院生時代から存じており、その切れ味鋭い論稿に感銘を受けていた渡辺信一郎さんから、歴史総合研究会にお誘いいただいた結果である。活発な議論が繰り返された企画会議において、私の担当テーマは「さまざまな国家――一七世紀以前の世界史Ⅱ」と決まった。

ビザンツ帝国史という特殊な分野を専門とする私に、このような大きなテーマで、かつ高校生にも読んでもらえるような本が書けるのか、まったく自信はなかったが、研究会において報告・討論を重ねるなかで、ようやくまとまったのが本書である。有益な助言、厳しい批判をして下さった、歴史総合研究会の皆さんに深く感謝する。

漠然とした表現ではあるが、日本の西洋史学界にも感謝したい。本書の執筆にあたっては、原史料の引用も含めて、先行研究を多数参照させていただいた。西洋古代・中世史に優れた研究の分厚い蓄積があることを、今さらながら実感した次第である。

最後にもうおひと方、感謝を捧げなければならないのは、かもがわ出版の松竹伸幸さんである。歴史総合研究会のオブザーバー、そして編集者という立場から、多くの助言をいただき、励ましを受けて本書はどうにか完成に至った。

多くの方の力をお借りして本書は出来上がった。皆さんに心より感謝して擱筆(かくひつ)したい。

二〇二三年一月　　井上浩一

〈参考文献〉

※新書・文庫など一般向けの読みやすいものを中心に、各章・節ごとに二〜三点挙げた。

序章
井上浩一『ビザンツ——文明の継承と変容』京都大学学術出版会、二〇〇九年
太田敬子『ジハードの町タルスース——イスラーム世界とキリスト教世界の狭間』刀水書房、二〇〇九年
J・ヘリン『ビザンツ——驚くべき中世帝国』井上浩一監訳、足立広明他訳、白水社、二〇一〇年

第一章一節
伊藤貞夫『古典期アテネの政治と社会』東京大学出版会、一九八二年
橋場　弦『古代ギリシアの民主政』岩波新書、二〇二二年
M・I・フィンリー『民主主義——古代と現代』講談社学術文庫、二〇〇七年（刀水書房、一九九一年）

第一章二節
青木　健『ペルシア帝国』講談社現代新書、二〇二〇年
阿部拓児『アケメネス朝ペルシア帝国——史上初の世界帝国』中公新書、二〇二一年

第一章三節
岸本廣大『古代ギリシアの連邦——ポリスを越えた共同体』京都大学学術出版会、二〇二一年——専門書であるが、連邦国家に関する貴重な研究なので参考文献に含めた。
秀村欣二・伊藤貞夫『ギリシアとヘレニズム』（世界の歴史2）、講談社、一九七六年
森谷公俊『アレクサンドロス大王——「世界征服者」の虚像と実像』講談社、二〇〇〇年

第二章一節

本村凌二『地中海世界とローマ帝国』講談社（興亡の世界史04）、二〇〇七年——第二章全般にわたる基本文献。
弓削　達『地中海世界とローマ帝国』岩波書店、一九七七年

第二章二節

松本宣郎『ガリラヤからローマへ——地中海を変えたキリスト教徒』講談社学術文庫、二〇一七年（山川出版社、一九九四年）

第二章三節

南川高志『ローマ五賢帝——「輝ける世紀」の虚像と実像』講談社学術文庫、二〇一四年（一九九八年）
南川高志『新・ローマ帝国衰亡史』岩波新書、二〇一三年
弓削　達『ローマはなぜ滅んだか』講談社現代新書、一九八九年
M・クメール、B・デュメジル著『ヨーロッパとゲルマン部族国家』大月康弘・小澤雄太郎訳、文庫クセジュ、白水社、二〇一九年

第三章一節

池谷文夫『神聖ローマ帝国——ドイツ王が支配した帝国』刀水書房、二〇一九年
菊池良生『神聖ローマ帝国』講談社現代新書、二〇〇三年
堀米庸三『中世の光と影』上・下、講談社学術文庫、一九七八年（文藝春秋社、一九六七年）——少し古いが、第三章全般にわたる基本文献

第三章二節
朝治啓三他編著『中世英仏関係史一〇六六〜一五〇〇――ノルマン征服から百年戦争終結まで』創元社、二〇一二年
渡辺節夫『フランスの中世社会――王と貴族たちの軌跡』吉川弘文館、二〇〇六年
第三章三節
加藤　玄『ジャンヌ・ダルクと百年戦争――時空をこえて語り継がれる乙女』山川出版社、二〇二二年
城戸　毅『百年戦争――中世末期の英仏関係』刀水書房、二〇一〇年
終章
上垣　豊『ナポレオン――英雄か独裁者か』山川出版社、二〇一三年
北田葉子『マキァヴェッリ――激動の転換期を生きぬく』山川出版社、二〇一五年
高澤紀恵『主権国家体制の成立』山川出版社、一九九七年
文献案内・研究入門・史料集・辞典
『文献解説　ヨーロッパの成立と発展』松本宣郎他編、南窓社、二〇〇七年
『西洋古代史研究入門』伊藤貞夫・本村凌二編、東京大学出版会、一九九七年
『西洋中世史研究入門（増補改訂版）』佐藤彰一他編、名古屋大学出版会、二〇〇五年
『西洋古代史料集』第二版、古山正人他編、東京大学出版会、二〇〇二年
『西洋中世史料集』ヨーロッパ中世史研究会編、東京大学出版会、二〇〇〇年

『世界史史料1、古代のオリエントと地中海世界』歴史学研究会編、岩波書店、二〇一二年
『世界史史料5、ヨーロッパ世界の成立と膨張』歴史学研究会編、岩波書店、二〇〇七年
『角川世界史辞典』西川正雄他編、角川書店、二〇〇一年

井上 浩一（いのうえ・こういち）

大阪市立大学名誉教授、元佛教大学歴史学部教授。専門はビザンツ帝国史。京都大学大学院文学研究科博士課程単位取得退学。主な著作に『生き残った帝国ビザンティン』（講談社、2008年）、『私もできる西洋史研究——仮想（バーチャル）大学に学ぶ』（和泉書院、2012年）、『歴史学の慰め——アンナ・コムネナの生涯と作品』（白水社、2020年）。

さまざまな国家——一七世紀以前の世界史Ⅱ

〈講座：わたしたちの歴史総合（世界史×日本史）2〉

2023年3月20日　第1刷発行

著　者　ⓒ井上浩一
発行者　竹村正治
発行所　株式会社　かもがわ出版
〒602-8119　京都市上京区堀川通出水西入
TEL 075-432-2868 FAX 075-432-2869
振替　01010-5-12436
ホームページ　http://www.kamogawa.co.jp
印刷所　シナノ書籍印刷株式会社

ISBN978-4-7803-1262-1　C0320

総合索引等は「わたしたちの歴史総合」シリーズ特設ページで
http://www.kamogawa.co.jp/campaign/tokusetu_rekishi.html